はじめに

税理士試験の試験科目の一つに国税徴収法があるが、受験勉強においては何と言ってもその基礎理論の体得が大切となる。

しかも、本試験において問われる「理論問題」「設例問題」「例示計算問題」といかなる出題形式の問題へも対処できるよう、徹底した習得を図ることが必要とされる。

国税徴収法はいわゆる「滞納処分法」としての手続規定を中核とし、これに「第二次納税義務」などの実体的な規定が加味され、さらにこれが国税通則法中の関係条項と密接に連携しており、これらの関連において、その内容が充分に咀嚼されることが肝要である。

本書は国税徴収法を、その体系別に配列し、各セクションの別に従って、重要論点をピックアップ、基礎理論を展開している。本書の学習により、国税徴収法の体系的な理解と様々な問題への応用力が身に付くよう各位の便に資した。

皆様の御健闘を祈る次第である。

（本書は令和６年７月までの施行法令に準拠している。）

凡　　　例

法	………………	国税徴収法
令	………………	国税徴収法施行令
国通法	…………	国税通則法
国通令	…………	国税通則法施行令

引　用　例

法15①二	………	国税徴収法第15条第１項第二号

本書を使用する際の注意点

1　テーマについて

法体系の確認がしやすいように、各理論問題については、テーマごとに分けて収録し、各テーマをページの上部に表示してあります。

また、各理論問題は、各テーマに属する枝番号（1－1等）で表示してあります。

法令の体系的な学習（応用理論対策等）に役立ててください。

2　ランクについて

各理論問題について、その科目を学習する上での重要度（ランク）を、理論問題のタイトルの横に表示してあります。

理論学習をする際の指針としてください。

ランクＡ　……　学習をするにあたって非常に重要度の高い理論問題
ランクＢ　……　学習をするにあたって比較的重要度の高い理論問題
ランクＣ　……　学習をするにあたって比較的重要度の低い理論問題

3　重要度について

各理論問題の中の各項目について、その理論問題の中での重要度を、項目のタイトルの横に表示してあります。

理論学習をする際の指針としてください。

◎　……　その理論問題の中で非常に重要度の高い項目
○　……　その理論問題の中で比較的重要度の高い項目
△　……　その理論問題の中で比較的重要度の低い項目

4　カッコ書きについて

本文中のカッコ書きについては、本文との区別がしやすいように文字の大きさを小さくして収録してあります。

まずはカッコ書きを除いて文章を確認し、その後、カッコ書きを付け足す形で確認をすると学習しやすくなりますので、参考にしてください。

5　条文番号について

各理論問題の中の各項目について、参照して頂く条文番号を表示してありますが、条文番号については暗記（解答）する必要はありません。

2025年度版

TAC税理士講座

税理士受験シリーズ

46

国税徴収法

理論マスター

CONTENTS

目　　次

テーマ１：国税と他の債権との調整

テーマ２：第二次納税義務

テーマ３：滞　納　処　分

テーマ４：換　価・配　当

テーマ５：徴収緩和制度

テーマ６：保全処分･国税の担保

テーマ７：そ　の　他

《参　考》

テーマ1

国税と他の債権との調整

1−1　国税の一般的優先の原則　〔ランクA〕

１．国税優先の原則（法８）　重要度◎

国税は、納税者の総財産について、別段の定がある場合を除き、すべての公課その他の債権に先だって徴収する。

２．強制換価手続の費用の優先（法９）　重要度◎

納税者の財産につき強制換価手続が行われた場合において、国税の交付要求をしたときは、その国税は、その換価代金につき、その手続に係る費用に次いで徴収する。

３．直接の滞納処分費の優先（法10）　重要度◎

納税者の財産を国税の滞納処分により換価したときは、その滞納処分に係る滞納処分費は、その換価代金につき、他の国税、地方税その他の債権に先立って徴収する。

４．強制換価の場合の消費税等の優先　重要度◎

(1)　強制換価の場合の消費税等の徴収の特例（国通法39）

①　税務署長は、消費税等（消費税を除く。以下同じ。）の課される物品が強制換価手続により換価された場合において、国税に関する法律の規定によりその物品につき消費税等の納税義務が成立するときは、その売却代金のうちからその消費税等を徴収することができる。

②　税務署長は、消費税等を徴収するときは、あらかじめその執行機関及び納税者に対し、徴収すべき税額その他必要な事項を通知しなければならない。

③　その通知があった場合において、その換価がされたときは、その納税者につきその通知に係る税額に相当する消費税等が決定により確定されたものとみなし、その執行機関に対する通知は、交付要求とみなす。

(2)　強制換価の場合の消費税等の優先（法11）

強制換価の場合の消費税等の徴収の特例等の規定により徴収する消費税等（その滞納処分費を含む。）は、差押先着手による国税の優先等の規定にかかわらず、その徴収の基因となった移出又は公売若しくは売却に係る物品の換価代金につき、他の国税、地方税その他の債権に先だって徴収する。

1−2　国税及び地方税の調整　〔ランクＡ〕

１．差押先着手による国税の優先（法12）　重要度◎

(1) 納税者の財産につき国税の滞納処分による差押えをした場合において、他の国税又は地方税の交付要求があったときは、その差押えに係る国税は、その換価代金につき、その交付要求に係る他の国税又は地方税に先だって徴収する。

(2) 納税者の財産につき国税又は地方税の滞納処分による差押えがあった場合において、国税の交付要求をしたときは、その交付要求に係る国税は、その換価代金につき、その差押えに係る国税又は地方税に次いで徴収する。

２．交付要求先着手による国税の優先（法13）　重要度◎

納税者の財産につき強制換価手続（破産手続を除く。）が行われた場合において、国税及び地方税の交付要求があったときは、その換価代金につき、先にされた交付要求に係る国税は、後にされた交付要求に係る国税又は地方税に先だって徴収し、後にされた交付要求に係る国税は、先にされた交付要求に係る国税又は地方税に次いで徴収する。

３．担保を徴した国税の優先（法14）　重要度◎

国税につき徴した担保財産があるときは、上記１又は２の規定にかかわらず、その国税は、その換価代金につき他の国税及び地方税に先だって徴収する。

1－3　留置権の優先　〔ランクＢ〕

1．内　容（法21①）　重要度◎

留置権が納税者の財産上にある場合において、その財産を滞納処分により換価したときは、その国税は、その換価代金につき、その留置権により担保されていた債権に次いで徴収する。

この場合において、その債権は、質権、抵当権、先取特権又は担保のための仮登記により担保される債権に先立って配当するものとする。

2．留置権がある事実の証明（法21②）　重要度◎

上記１の規定は、その留置権者が、滞納処分の手続において、その行政機関等に対し、その留置権がある事実を証明した場合に限り適用する。

3．証明の時期（令４①③）　重要度○

上記２の証明は、滞納処分にあっては、留置権がある事実を証する書面又はその事実を証するに足りる事項を記載した書面を売却決定の日の前日までに税務署長に提出するものとする。

1－4　不動産保存の先取特権等の優先　〔ランクＢ〕

1．内　容（法19①）　重要度◎

次に掲げる先取特権が納税者の財産上にあるときは、国税は、その換価代金につき、その先取特権により担保される債権に次いで徴収する。

(1) 不動産保存の先取特権
(2) 不動産工事の先取特権
(3) 立木の先取特権
(4) 商法等の先取特権
(5) 国税に優先する債権のため又は国税のために動産を保存した者の先取特権

2．先取特権がある事実の証明（法19②）　重要度◎

上記１(3)から(5)まで（(3)の先取特権で登記したものを除く。）の規定は、その先取特権者が、強制換価手続において、その執行機関に対し、その先取特権がある事実を証明した場合に限り適用する。

3．証明の時期（令４①③）　重要度○

上記２の証明は、滞納処分にあっては、先取特権がある事実を証する書面又はその事実を証するに足りる事項を記載した書面を売却決定の日の前日までに税務署長に提出するものとする。

《参　考》　不動産保存・不動産工事の先取特権と抵当権の関係（民法339条）

不動産保存の先取特権、不動産工事の先取特権は、先に登記した抵当権に優先して弁済を受けることができる。

1−5　法定納期限等以前にある不動産賃貸の先取特権等の優先　〔ランクＢ〕

１．内　容（法20①）　重要度○

次に掲げる先取特権が納税者の財産上に国税の法定納期限等以前からあるとき、又は納税者がその先取特権のある財産を譲り受けたときは、その国税は、その換価代金につき、その先取特権により担保される債権に次いで徴収する。

(1)　不動産賃貸の先取特権
(2)　不動産売買の先取特権
(3)　借地借家法等の先取特権
(4)　登記をした一般の先取特権

２．先取特権がある事実の証明（法20②）　重要度○

上記１(1)の規定は、その先取特権者が、強制換価手続において、その執行機関に対し、その先取特権がある事実を証明した場合に限り適用する。

３．証明の時期（令４①③）　重要度○

上記２の証明は、滞納処分にあっては、先取特権がある事実を証する書面又はその事実を証するに足りる事項を記載した書面を売却決定の日の前日までに税務署長に提出するものとする。

（MEMO）

1－6　質権又は抵当権の優先　〔ランクA〕

1．内　容　重要度◎

(1)　法定納期限等以前に設定された質権又は抵当権の優先（法15①、16）

納税者がその財産上に質権又は抵当権を設定している場合において、その質権又は抵当権が国税の法定納期限等以前に設定されているものであるときは、その国税は、その換価代金につき、その質権又は抵当権により担保される債権に次いで徴収する。

(2)　譲受前に設定された質権又は抵当権の優先（法17）

納税者が質権又は抵当権の設定されている財産を譲り受けたときは、国税は、その換価代金につき、その質権又は抵当権により担保される債権に次いで徴収する。

2．質権設定の事実の証明（法15②）　重要度◎

上記1の規定は、登記をすることができる質権以外の質権については、その質権者が、強制換価手続において、その執行機関に対し、その設定の事実を証明した場合に限り適用する。

この場合において、有価証券を目的とする質権以外の質権については、その証明は次に掲げる書類によってしなければならない。

(1)　公正証書
(2)　登記所又は公証人役場において日付のある印章が押されている私署証書
(3)　郵便法による内容証明を受けた証書
(4)　電磁的方式による確定日付が付与された電磁的記録の内容を証する書面

3．証明の時期（令4①③）　重要度○

上記2の証明は、滞納処分にあっては、質権設定の事実を証する書面又はその事実を証するに足りる事項を記載した書面を売却決定の日の前日までに税務署長に提出するものとする。

４．質権設定の事実を証明しなかった場合の他の質権との優先劣後に関する特例（法15④）

重要度◎

上記１(1)の質権を有する者は、上記２の証明をしなかったため国税におくれる金額の範囲内においては、上記１(1)の規定により国税に優先する後順位の質権者に対して優先権を行うことができない。

５．質権及び抵当権の優先額の限度等

重要度○

(1) 根質又は根抵当の場合の優先債権額についての特例（法18①）

上記１の規定に基づき国税に先だつ質権又は抵当権により担保される債権の元本の金額は、その質権者又は抵当権者がその国税に係る差押え又は交付要求の通知を受けた時における債権額を限度とする。

ただし、その国税に優先する他の債権を有する者の権利を害することとなるときは、この限りでない。

(2) 質権又は抵当権の被担保債権額の増額の登記がされた場合（法18②）

質権又は抵当権により担保される債権額又は極度額を増加する登記がされた場合には、その登記がされた時において、その増加した債権額又は極度額につき新たに質権又は抵当権が設定されたものとみなして、上記１の規定を適用する。

《参　考》法定納期限等

法定納期限等は、納税者と取引をする第三者が、その納税者の国税の発生を予測できる時期をいい、個々の場合において適当と認められる期限が定められている。

《参　考》法定納期限

国税に関する法律に定められている本来納付すべき期限をいう。

《参　考》納期限

納付すべき税額の確定した国税を実際に納付すべき期限をいう。

《参　考》抵当権の順位　（民法373条）

同一の不動産について数個の抵当権が設定されたときは、その抵当権の順位は、登記の前後による。

《参　考》動産質権の順位　（民法355条）

同一の動産について数個の質権が設定されたときは、その質権の順位は、設定の前後による。

1－7　担保権付財産が譲渡された場合の国税の徴収〔ランクA〕

1．要　件（法22①）　重要度◎

次のすべての要件に該当するときは、譲渡財産の強制換価手続において、その質権又は抵当権によって担保される債権につきその質権者又は抵当権者が配当を受けるべき金額のうちから譲渡人の国税を徴収することができる。

(1) 納税者が他に国税に充てるべき十分な財産がない場合において、その者がその国税の法定納期限等後に登記した質権又は抵当権を設定した財産を譲渡したこと。

(2) 納税者の財産につき滞納処分を執行してもなおその国税に不足すると認められること。

2．徴収手続　重要度○

(1) 質権者等に対する通知（法22④）

税務署長は、上記１により国税を徴収しようとするときは、その旨を質権者又は抵当権者に通知しなければならない。

(2) 交付要求（法22⑤）

税務署長は、上記１の譲渡財産につき強制換価手続が行われた場合には、上記１により徴収することができる金額の国税につき、執行機関に対し、交付要求をすることができる。

(3) 質権又は抵当権の代位実行（法22③）

税務署長は、上記１により国税を徴収するため、質権者又は抵当権者に代位してその質権又は抵当権を実行することができる。

3．徴収できる金額の範囲（法22②）　重要度◎

上記１により徴収することができる金額は、(1)の金額から(2)の金額を控除した額をこえることができない。

(1) 本来の配当金額

譲渡財産の換価代金から質権者又は抵当権者がその被担保債権について配当を受けるべき金額

(2) 仮定配当金額

譲渡財産を納税者の財産とみなし、その財産の換価代金につき譲渡人の国税の交付要求があったものとした場合に質権者又は抵当権者がその被担保債権に

ついて配当を受けるべき金額

1－8　担保仮登記の優先とその滞納処分との関係〔ランクＢ〕

1．国税と担保仮登記の被担保債権との調整　重要度○

(1) 法定納期限等以前にされた担保仮登記の優先（法23①）

国税の法定納期限等以前に納税者の財産につき、その者を登記義務者（登録義務者を含む。）として、担保のための仮登記がされているときは、その国税は、その換価代金につき、その担保のための仮登記により担保される債権に次いで徴収する。

(2) 譲受前にされた担保仮登記の優先（法23③）

納税者が担保のための仮登記がされている財産を譲り受けたときは、国税は、その換価代金につき、その担保のための仮登記により担保される債権に次いで徴収する。

(3) 担保仮登記付財産が譲渡された場合の国税の徴収（法23③）

次のすべての要件に該当するときは、譲渡財産の強制換価手続において、その担保のための仮登記によって担保される債権につきその担保仮登記権利者が配当を受けるべき金額のうちから譲渡人の国税を徴収することができる。

① 納税者が他に国税に充てるべき十分な財産がない場合において、その者がその国税の法定納期限等後に担保のための仮登記をした財産を譲渡したこと。

② 納税者の財産につき滞納処分を執行してもなおその国税に不足すると認められること。

なお、この場合、徴収手続、徴収金額については、代位実行の規定を除き担保権付財産が譲渡された場合の国税の徴収の規定を準用する。

2．国税と物上代位権との調整（法23②）　重要度△

担保のための仮登記がされている納税者の財産上に、次に掲げる担保権があるときは、その国税は、その財産についての清算金に係る換価代金につき、物上代位の規定により権利が行使された次に掲げる担保権により担保される債権に次いで徴収する。

(1) 不動産保存の先取特権等

(2) 国税の法定納期限等以前にある不動産賃貸の先取特権等

(3) 国税の法定納期限等以前に設定された質権又は抵当権

(4) 国税の法定納期限等以前にされた担保のための仮登記

３．根担保仮登記の効力（法23④）　重要度△

担保仮登記契約で、その被担保債権がその契約の時に特定されていないものは、国税の滞納処分においては、その効力を有しない。

４．担保仮登記付財産に対する差押えの効力（法52の２）　重要度○

(1) 清算金支払前の場合

担保のための仮登記がある財産につき滞納処分による差押えがあった場合において、その差押えが清算金の支払の債務の弁済前（清算金がないときは、清算期間の経過前）にされたものであるときは、担保仮登記権利者は、その仮登記に基づく本登記の請求をすることができない。

(2) 清算金支払後の場合

担保のための仮登記がある財産につき滞納処分による差押えがあった場合において、その差押えが清算金の支払の債務の弁済後（清算金がないときは、清算期間の経過後）にされたものであるときは、担保仮登記権利者は、その財産の所有権の取得をもって差押債権者に対抗することができる。

５．担保仮登記権利者に対する差押えの通知（法55二）　重要度○

仮登記がある財産を差し押えたときは、税務署長は、仮登記の権利者のうち知れている者に対し、その旨その他必要な事項を通知しなければならない。

６．換価の制限（法90③）　重要度○

上記５の通知（担保のための仮登記に係るものに限る。）に係る差押えにつき訴えの提起があったときは、その訴訟の係属する間は、その国税につき滞納処分による財産の換価をすることができない。

1−9　譲渡担保権者の物的納税責任　〔ランクA〕

1．要　件（法24①⑧、法附則5④）　重要度◎

次のすべての要件に該当するときは、譲渡担保財産から納税者の国税を徴収することができる。

(1) 納税者が国税を滞納していること。

(2) 納税者が譲渡した財産（手形を除く。）でその譲渡により担保の目的となっているもの（「譲渡担保財産」という。）があること。

(3) その譲渡担保財産の譲渡に係る権利の移転の登記等が、納税者の国税の法定納期限等後にあること。

(4) 納税者の財産につき滞納処分を執行してもなおその国税に不足すると認められること。

(5) 登記制度のない財産については、譲渡担保権者が国税の法定納期限等以前に譲渡担保財産となっている事実を証明しなかったこと。この場合の証明方法は、質権設定の事実の証明の規定を準用する。

2．徴収手続　重要度◎

(1) 譲渡担保権者に対する告知（法24②）

税務署長は、上記1により国税を徴収しようとするときは、譲渡担保権者に対し、所定の事項を記載した書面により告知しなければならない。

(2) 納税者等に対する通知（法24②）

上記(1)の告知をした場合においては、譲渡担保権者の住所又は居所の所在地を所轄する税務署長及び納税者に対しその旨を通知しなければならない。

(3) 譲渡担保財産に対する滞納処分（法24③）

上記(1)の告知書を発した日から10日を経過した日までにその徴収しようとする金額が完納されていないときは、徴収職員は、譲渡担保権者を第二次納税義務者とみなして、その譲渡担保財産につき滞納処分を執行することができる。

(4) 第二次納税義務に関する規定の準用（法24③）

次に掲げる事項については、第二次納税義務に関する規定が準用される。

① 差押えの繰上げ

告知書を発した日から10日を経過した日までに、譲渡担保権者について繰上請求の事由が生じたときは、当該譲渡担保財産を直ちに差し押さえることができる。

② 換価の順序

譲渡担保財産の換価は、その財産の価額が著しく減少するおそれがあるときを除き、納税者の財産を換価に付した後でなければ、行うことができない。

③ 求償権の行使

譲渡担保財産から納税者の国税を徴収したときは、譲渡担保権者から納税者に対してする求償権の行使を妨げない。

④ 訴訟による換価の制限

譲渡担保権者が上記(1)の告知又はこれらに係る国税に関する滞納処分につき訴えを提起したときは、その訴訟の係属する間は、その国税につき滞納処分による財産の換価をすることができない。

⑤ 不服申立てによる換価の制限

譲渡担保財産の滞納処分による換価は、その財産の価額が著しく減少するおそれがあるとき、又は不服申立人から別段の申出があるときを除き、その不服申立てについての決定又は裁決があるまで、することができない。

(5) 納税者の財産としてした滞納処分との関係（法24④）

譲渡担保財産を納税者の財産としてした差押えは、上記１の要件に該当する場合に限り、上記(3)による差押えとして滞納処分を続行することができる。

この場合において、税務署長は、遅滞なく、上記(1)の告知及び上記(2)の通知をしなければならない。

(6) 滞納処分の続行の通知（法24⑤⑥）

① 税務署長は、上記(5)により滞納処分を続行する場合において、譲渡担保財産が次に掲げる財産であるときは、それぞれに掲げる者に対し、納税者の財産としてした差押えを上記(3)による差押えとして滞納処分を続行する旨を通知しなければならない。

イ 第三者が占有する動産又は有価証券

動産又は有価証券を占有する第三者

ロ 債権又は第三債務者等のある無体財産権等（これらの財産の権利の移転につき登記を要するものを除く。）

第三債務者等

② 税務署長は、上記(5)により滞納処分を続行する場合において、質権者等に対する差押えの通知に掲げる者（仮登記の権利者を除く。）のうち知れている者があるときは、これらの者に対し、納税者の財産としてした差押えを上記(3)による差押えとして滞納処分を続行する旨を通知しなければならない。

(7) **譲渡担保財産としての滞納処分の続行**（法24⑦）

上記(1)による告知又は上記(5)の適用を受ける差押えをした後、納税者の財産の譲渡により担保される債権が債務不履行その他弁済以外の理由により消滅した場合においても、なお譲渡担保財産として存続するものとみなして、上記(3)の滞納処分を続行する。

３．譲渡担保財産から徴収する国税及び地方税の調整の特例（法25②、令９）

重要度◎

(1) **差押先着手による優先の特例**

譲渡担保財産について、設定者の国税が担保権者の国税等と競合する場合において、その財産が担保権者の国税等につき差し押えられているときは、差押先着手による国税の優先の規定の適用については、その差押えがなかったものとみなし、設定者の国税（その国税の交付要求が２以上あるときは、最も先に交付要求をした国税）につきその財産が差し押えられたものとみなす。この場合においては、その担保権者の国税等につき交付要求（他の担保権者の国税等の交付要求があったときは、これよりも先にされた交付要求）があったものとみなす。

(2) **交付要求先着手による優先の特例**

譲渡担保財産について、設定者の国税が担保権者の国税等と競合する場合において、担保権者の国税等の交付要求（上記(1)によりみなされる担保権者の国税等の交付要求を含む。）の後にされた設定者の国税の交付要求（上記(1)の適用を受ける設定者の国税の交付要求を除く。）があるときは、交付要求先着手による国税の優先の規定の適用については、その設定者の国税の交付要求は、担保権者の国税等の交付要求よりも先にされたものとみなす。

４．譲渡担保財産の換価の特例（法25①）

重要度△

買戻権の登記等がされている譲渡担保財産でその買戻権の登記等の権利者が滞納者であるときは、その差し押えた買戻権の登記等に係る権利及び上記２(3)の規定により差し押えたその買戻権の登記等のある譲渡担保財産を一括して換価することができる。

(MEMO)

1−10　国税及び地方税等と私債権との競合の調整〔ランクA〕

1．内　容（法26）　重要度◎

強制換価手続において国税が他の国税、地方税又は公課（以下「地方税等」という。）及びその他の債権（以下「私債権」という。）と競合する場合において、国税徴収法又は地方税法その他の法律の規定により、国税が地方税等に先だち、私債権がその地方税等におくれ、かつ、その国税に先だつとき、又は国税が地方税等におくれ、私債権がその地方税等に先だち、かつ、その国税におくれるときは、換価代金の配当については、下記に定めるところによる。

2．優先順位の確定している債権への配当（法26一）　重要度◎

次に掲げる債権があるときは、これらの順序に従い、それぞれこれらに充てる。
(1)　強制換価手続の費用又は直接の滞納処分費
(2)　強制換価の場合の消費税等
(3)　留置権の被担保債権
(4)　特別の場合の前払借賃に係る債権
(5)　不動産保存の先取特権等の被担保債権

3．租税公課グループと私債権グループへの配当（法26二）　重要度◎

国税及び地方税等並びに私債権（上記２の適用を受けるものを除く。）につき、法定納期限等又は設定、登記、譲渡若しくは成立の時期の古いものからそれぞれ順次に国税徴収法又は地方税法その他の法律の規定を適用して国税及び地方税等並びに私債権に充てるべき金額の総額をそれぞれ定める。

4．個々の租税公課への配当（法26三）　重要度◎

上記３により定めた国税及び地方税等に充てるべき金額の総額を国税優先の原則若しくは差押先着手による国税の優先等の規定又は地方税法その他の法律のこれらに相当する規定により、順次国税及び地方税等に充てる。

5．個々の私債権への配当（法26四）　重要度◎

上記３により定めた私債権に充てるべき金額の総額を民法その他の法律の規定により順次私債権に充てる。

テーマ2

第二次納税義務

2−1　第二次納税義務の通則的な徴収手続〔ランクA〕

1．納付通知書による告知（法32①、令11④）　重要度◎

税務署長は、納税者の国税を第二次納税義務者から徴収しようとするときは、その者に対し、徴収しようとする金額、納付の期限その他必要な事項を記載した納付通知書により告知しなければならない。

この場合の納付の期限は、その納付通知書を発する日の翌日から起算して1月を経過する日とする。

2．他の税務署長への通知（法32①）　重要度◎

上記1の告知をした場合においては、第二次納税義務者の住所又は居所の所在地を所轄する税務署長に対し、その旨を通知しなければならない。

3．納付催告書による督促（法32②）　重要度◎

第二次納税義務者がその国税を上記1の納付の期限までに完納しないときは、税務署長は、繰上請求をする場合を除き、原則としてその納付の期限から50日以内に、納付催告書によりその納付を督促しなければならない。

4．滞納処分（法47①〜③）　重要度◎

(1) 第二次納税義務者が督促を受け、その督促に係る国税をその納付催告書を発した日から起算して10日を経過した日までに完納しないときは、当該第二次納税義務者の財産に対して差押えをしなければならない。

(2) 上記(1)の10日を経過した日までに督促を受けた第二次納税義務者につき繰上請求の一に該当する事実が生じたときは、徴収職員は、直ちにその財産を差し押えることができる。

5．換価の制限　重要度◎

(1) 換価の順序（法32④）

第二次納税義務者の財産の換価は、その財産の価額が著しく減少するおそれがあるときを除き、主たる納税者の財産を換価に付した後でなければ、行うことができない。

(2) 訴訟による換価の制限（法90③）

第二次納税義務者が上記1の告知、上記3の督促又はこれらに係る国税に関する滞納処分につき訴えを提起したときは、その訴訟の係属する間は、その国税につき滞納処分による財産の換価をすることができない。

(3) 不服申立てによる換価の制限（国通法105①）

第二次納税義務者の財産の滞納処分による換価は、その財産の価額が著しく減少するおそれがあるとき、又は不服申立人から別段の申出があるときを除き、その不服申立てについての決定又は裁決があるまで、することができない。

６．求償権の行使（法32⑤）　重要度○

第二次納税義務の通則の規定は、その履行をした場合には、主たる納税者に対して求償権の行使を妨げない。

７．国税通則法の準用（法32③）　重要度△

繰上請求、納税の猶予及び納付委託の規定は、第二次納税義務者について準用する。

《参　考》第二次納税義務の性質

1　納税者の財産につき滞納処分を執行してもなお徴収すべき額に不足する時に初めて追及される（補充性）。

2　主たる納税者の納税義務に附従する義務（附従性）。

2−2　各種第二次納税義務の態様　〔ランクA〕

1．合名会社等の社員の第二次納税義務（法33）　重要度◎

(1) 成立要件

次のすべての要件に該当するときは、合名会社等の社員の第二次納税義務が追及できる。

① 合名会社若しくは合資会社又は税理士法人、弁護士法人、外国法事務弁護士法人、監査法人、弁理士法人、司法書士法人、行政書士法人、社会保険労務士法人若しくは土地家屋調査士法人が国税を滞納したこと。

② その財産につき滞納処分を執行してもなおその徴収すべき額に不足すると認められること。

(2) 第二次納税義務者

第二次納税義務者は、合名会社等の無限責任社員である。この場合において、合名会社等の社員相互間では、連帯してその責に任ずる。

(3) 第二次納税義務の範囲

滞納国税の全額の第二次納税義務を負う。

2．清算人等の第二次納税義務（法34）　重要度◎

(1) 清算人等の第二次納税義務（法34条①）

① 成立要件

次のすべての要件に該当するときは、清算人等の第二次納税義務が追及できる。

イ　法人が解散した場合において、その法人に課されるべき、又はその法人が納付すべき国税を納付しないで残余財産の分配又は引渡しをしたこと。

ロ　その法人に対し滞納処分を執行してもなおその徴収すべき額に不足すると認められること。

② 第二次納税義務者

第二次納税義務者は、清算人及び残余財産の分配又は引渡しを受けた者（無限責任社員を除く。）である。

③ 第二次納税義務の範囲

下記の区分に応じ、それぞれに掲げる限度において、滞納国税の第二次納税義務を負う。

イ　清算人……………………………分配又は引渡しをした財産の価額の限度

ロ　残余財産の分配又は引渡しを受けた者……その受けた財産の価額の限度

(2) 清算受託者等の第二次納税義務（法34条②）

①　成立要件

次のすべての要件に該当するときは、清算受託者等の第二次納税義務が追及できる。

イ　清算の開始原因に規定する信託が終了した場合において、その信託に係る清算受託者に課されるべき、又はその清算受託者が納付すべき国税（その納めるべき義務が信託財産責任負担債務となるものに限る。）を納付しないで信託財産に属する財産を残余財産受益者等に給付をしたこと。

ロ　その清算受託者に対し滞納処分を執行してもなおその徴収すべき額に不足すると認められること。

②　第二次納税義務者

第二次納税義務者は、清算受託者（信託財産に属する財産のみをもってその国税を納める義務を履行する責任を負う清算受託者に限る。以下「特定清算受託者」という。）及び残余財産受益者等である。

③　第二次納税義務の範囲

下記の区分に応じ、それぞれに掲げる限度において、滞納国税の第二次納税義務を負う。

イ　特定清算受託者……………………給付をした財産の価額の限度

ロ　残余財産受益者等…………………給付を受けた財産の価額の限度

３．同族会社の第二次納税義務（法35）

重要度◎

(1) 成立要件

次のすべての要件に該当するときは、同族会社の第二次納税義務が追及できる。

①　滞納者がその者を判定の基礎となる株主又は社員として選定した場合に同族会社に該当する会社の株式又は出資を有すること。

②　上記①の株式又は出資につき次に掲げる理由があること。

イ　再度換価に付してもなお買受人がないこと。

ロ　その譲渡につき法律若しくは定款に制限があり、又は株券の発行がないため、譲渡することにつき支障があること。

③　その滞納者の財産（上記①の株式又は出資を除く。）につき滞納処分を執行してもなおその徴収すべき国税に不足すると認められること。

(2) 第二次納税義務者

第二次納税義務者は、上記(1)の要件に該当する同族会社である。

(3) 第二次納税義務の範囲

滞納者の有する同族会社の株式又は出資（滞納国税の法定納期限の１年前の日後に取得した同社の株式又は出資）の価額の限度において、滞納国税の第二次納税義務を負う。

４．実質課税額等の第二次納税義務（法36）　重要度◎

(1) 実質課税額の第二次納税義務（法36一・二）

① 成立要件

次のすべての要件に該当するときは、実質課税額の第二次納税義務が追及できる。

イ　納税者が実質所得者課税の原則等の規定により課された国税又は実質判定の規定により課された資産の貸付けに係る消費税を滞納していること。

ロ　滞納者の上記イの国税につき滞納処分を執行してもなおその徴収すべき額に不足すると認められること。

② 第二次納税義務者

第二次納税義務者は、実質所得者課税の原則等の規定により課された国税の賦課の基因となった収益が法律上帰属するとみられる者又は実質判定の規定により課された消費税の賦課の基因となったその貸付けを法律上行ったとみられる者である。

③ 第二次納税義務の範囲

実質所得者課税の原則等の規定により課された国税の賦課の基因となった収益が生じた財産（取得財産を含む。）又は実質判定の規定により課された消費税の賦課の基因となった貸付けに係る財産（取得財産を含む。）を限度として、滞納国税の第二次納税義務を負う。

(2) 同族会社等又は組織再編成等に係る行為計算の否認による課税額の第二次納税義務（法36三）

① 成立要件

次のすべての要件に該当するときは、同族会社等、又は組織再編成等に係る行為計算の否認による課税額の第二次納税義務が追及できる。

イ　納税者が同族会社等、又は組織再編成等に係る行為計算の否認の規定により課された国税を滞納していること。

ロ　滞納者の上記イの国税につき滞納処分を執行してもなおその徴収すべき額に不足すると認められること。

② 第二次納税義務者

第二次納税義務者は、同族会社等、又は組織再編成等に係る行為計算の否認の規定により否認された納税者の行為（否認された計算の基礎となった行為を含む。）につき利益を受けたものとされる者である。

③　第二次納税義務の範囲

その受けた利益の額を限度として、滞納国税の第二次納税義務を負う。

5．共同的な事業者の第二次納税義務（法37）　重要度◎

(1)　成立要件

次のすべての要件に該当するときは、共同的な事業者の第二次納税義務が追及できる。

①　次に掲げる者が納税者の事業の遂行に欠くことができない重要な財産（以下「重要財産」という。）を有していること。

イ　納税者が個人である場合

……その者と生計を一にする配偶者その他の親族でその納税者の経営する事業から所得を受けているもの

ロ　納税者がその事実のあった時の現況において同族会社である場合

……その判定の基礎となった株主又は社員

②　重要財産に関して生ずる所得が納税者の所得となっていること。

③　納税者が重要財産の供されている事業に係る国税を滞納していること。

④　上記③の滞納国税につき滞納処分を執行してもなおその徴収すべき額に不足すると認められること。

(2)　第二次納税義務者

第二次納税義務者は、上記(1)①に掲げる者である。

(3)　第二次納税義務の範囲

重要財産（取得財産を含む。）を限度として、滞納国税の第二次納税義務を負う。

6．事業を譲り受けた特殊関係者の第二次納税義務（法38）　重要度◎

(1)　成立要件

次のすべての要件に該当するときは、事業を譲り受けた特殊関係者の第二次納税義務が追及できる。

①　納税者が生計を一にする親族その他納税者と特殊な関係のある個人又は被支配会社に事業を譲渡したこと。

②　事業の譲受人が同一又は類似の事業を営んでいること。

③　納税者が譲渡した事業に係る国税を滞納していること。

④　事業に係る滞納国税につき滞納処分を執行してもなおその徴収すべき額に

不足すると認められること。

⑤　上記①の譲渡が滞納国税の法定納期限の1年前の日後にされていること。

(2) 第二次納税義務者

第二次納税義務者は、納税者から事業を譲り受けた生計を一にする親族その他納税者と特殊な関係のある個人又は被支配会社である。

(3) 第二次納税義務の範囲

譲受財産の価額を限度として、滞納国税の第二次納税義務を負う。

7．無償又は著しい低額の譲受人等の第二次納税義務　重要度◎

(1) 成立要件（法39、令14）

次のすべての要件に該当するときは、無償又は著しい低額の譲受人等の第二次納税義務が追及できる。

①　滞納者がその財産につき無償又は著しく低い額の対価による譲渡（担保の目的でする譲渡を除く。）、債務の免除その他第三者に利益を与える処分（国及び公共法人に対するものを除く。以下「無償譲渡等の処分」という。）を行ったこと。

②　無償譲渡等の処分が国税の法定納期限の1年前の日以後においてされたものであること。

③　滞納者の国税につき滞納処分の執行（租税条約等の規定に基づく当該租税条約等の相手国等に対する共助対象国税の徴収の共助の要請をした場合には、当該要請による徴収を含む。）をしてもなお、その徴収すべき額に不足すると認められること。

④　上記③の不足すると認められることが無償譲渡等の処分に基因すると認められること。

(2) 第二次納税義務者（法39）

第二次納税義務者は、無償譲渡等の処分により権利を取得し、又は義務を免れた者である。

(3) 第二次納税義務の範囲（法39）

下記の区分に応じ、それぞれに掲げる限度において、滞納国税の第二次納税義務を負う。

①　無償譲渡等の処分の時に滞納者の親族その他の特殊関係者である場合
……無償譲渡等の処分により受けた利益の限度

②　上記①以外の者である場合
……無償譲渡等の処分により受けた利益が現に存する限度

８．偽りその他不正の行為により国税を免れた株式会社等の第二次納税義務

重要度○

(1) 成立要件（法40）

次のすべての要件に該当するときは、偽りその他不正の行為により国税を免れた株式会社等の第二次納税義務を追及できる。

① 偽りその他不正の行為により国税を免れ、又は国税の還付を受けた株式会社、合資会社又は合同会社がその国税（その附帯税を含む。以下同じ。）を納付していないこと。

② その株式会社、合資会社又は合同会社に対して滞納処分を執行してもなお、その徴収すべき額に不足すると認められること。

ただし、合資会社にあっては「合名会社等の社員の第二次納税義務」の無限責任社員に対し滞納処分を執行してもなお、その徴収すべき額に不足すると認められる場合に限る。

(2) 第二次納税義務者（法40）

その偽りその他不正行為をしたその株式会社の役員又はその合資会社若しくは合同会社の業務を執行する有限責任社員（以下「特定役員等」という。）である。

(3) 第二次納税義務の範囲（法40）

下記の①又は②のいずれか低い額を限度として、滞納国税の第二次納税義務を負う。

① その偽りその他不正の行為により免れ、若しくは還付を受けた国税の額

② その株式会社、合資会社若しくは合同会社の財産のうち、その偽りその他不正の行為があったとき以後に、その特定役員等が移転を受けたもの及びその特定役員等が移転したものの価額

９．人格のない社団等の第二次納税義務（法41）

重要度○

(1) 人格のない社団等の財産の名義人の第二次納税義務（法41①）

① 成立要件

次のすべての要件に該当するときは、人格のない社団等の財産の名義人の第二次納税義務が追及できる。

イ　人格のない社団等が国税を滞納していること。

ロ　人格のない社団等に属する財産（第三者が名義人となっているため、その者に法律上帰属するとみられる財産を除く。）につき滞納処分を執行してもなおその徴収すべき額に不足すると認められること。

② 第二次納税義務者

第二次納税義務者は、人格のない社団等に属する財産の名義人となっている第三者である。

③ 第二次納税義務の範囲

その法律上帰属するとみられる財産を限度として、滞納国税の第二次納税義務を負う。

(2) 人格のない社団等から財産の払戻等を受けた者の第二次納税義務（法41②）

① 成立要件

次のすべての要件に該当するときは、人格のない社団等から財産の払戻等を受けた者の第二次納税義務が追及できる。

イ　滞納者である人格のない社団等が財産の払戻又は分配をしたこと（清算人等の第二次納税義務の規定の適用がある場合を除く。）。

ロ　人格のない社団等の財産（人格のない社団等の財産の名義人の第二次納税義務に規定する第三者名義の財産を含む。）につき滞納処分を執行してもなおその徴収すべき額に不足すると認められること。

ハ　上記イの払戻又は分配が滞納国税の法定納期限の１年前の日後にされていること。

② 第二次納税義務者

第二次納税義務者は、人格のない社団等の財産の払戻又は分配を受けた者である。

③ 第二次納税義務の範囲

その払戻又は分配を受けた財産の価額を限度として、滞納国税の第二次納税義務を負う。

《参　考》

(1) 詐害行為取消請求による追及（国通法42、民法424）

納税者が行った所有財産の譲渡等の行為が、詐害行為に該当するときは、債権者である国は、国税通則法42条により、詐害行為取消権を行使し、逸失した財産を納税者の財産として復帰させたうえで、滞納処分を執行することができる。

(2) 通謀虚偽表示による無効（民法94）

納税者が、相手方と通じてした虚偽の意思表示は無効であるから、債権者である国は、納税者の財産としたうえで、滞納処分を執行することができる。

(3) 無償又は著しい低額の譲渡人等の第二次納税義務（法39）

→「令和４年１月１日前に行われた無償譲渡等に係るもの」

(1) 成立要件（法39、令14）

次のすべての要件に該当するときは、無償又は著しい低額の譲受人等の第二次納税義務が追及できる。

① 滞納者がその財産につき無償又は著しく低い額の対価による譲渡（担保の目的でする譲渡を除く。）、債務の免除その他第三者に利益を与える処分（国及び公共法人に対するものを除く。以下「無償譲渡等の処分」という。）を行ったこと。

② 無償譲渡等の処分が国税の法定納期限の１年前の日以後においてされたものであること。

③ 滞納者の国税につき滞納処分を執行してもなおその徴収すべき額に不足すると認められること。

④ 上記③の不足すると認められることが無償譲渡等の処分に基因すると認められること。

(2) 第二次納税義務者（法39）

第二次納税義務者は、無償譲渡等の処分により権利を取得し、又は義務を免れた者である。

(3) 第二次納税義務の範囲（法39）

下記の区分に応じ、それぞれに掲げる限度において、滞納国税の第二次納税義務を負う。

① 無償譲渡等の処分の時に滞納者の親族その他の特殊関係者である場合
……無償譲渡等の処分により受けた利益の限度

② 上記①以外の者である場合
……無償譲渡等の処分により受けた利益が現に存する限度

(MEMO)

テーマ3

滞　納　処　分

3−1　滞納処分による差押えの要件　〔ランクＡ〕

1．督促を要する国税の場合　重要度◎

(1) 原　則（法47①一③、国通法37②）

① 督促状の発付

納税者がその国税を納期限までに完納しない場合には、税務署長は、原則としてその納税者に対し、督促状によりその納付を督促しなければならない。督促状は、国税に関する法律に別段の定めがあるものを除き、その国税の納期限から50日以内に発するものとする。

② 滞納者が督促を受け、その督促に係る国税をその督促状を発した日から起算して10日を経過した日までに完納しないときは、徴収職員は、滞納者の国税につきその財産を差し押えなければならない。

③ 第二次納税義務者又は保証人については、上記②の「督促状」を「納付催告書」として適用する。

(2) 例　外（繰上差押）（法47②）

国税の納期限後督促状を発した日から起算して10日を経過した日までに、督促を受けた滞納者につき繰上請求の一に該当する事実が生じたときは、徴収職員は、直ちにその財産を差し押えることができる。

2．督促を要しない国税の場合　（法47①二、国通法37①、国通法38）　重要度◎

次に掲げる国税を、その納期限（繰上請求に係る期限を含む。）までに完納しないときは、徴収職員は、滞納者の国税につきその財産を差し押えなければならない。

(1) 繰上請求に係る国税

(2) 繰上保全差押又は保全差押の規定の適用を受けた国税

(3) 国税に関する法律の規定により一定の事実が生じた場合に直ちに徴収するものとされている国税

3．特殊な場合　重要度○

(1) 譲渡担保権者の物的納税責任（法24③）

譲渡担保権者に告知書を発した日から10日を経過した日までにその徴収しようとする金額が完納されていないときは、徴収職員は、譲渡担保権者を第二次納税義務者とみなして、その譲渡担保財産につき滞納処分を執行することができる。

(2) 担保の処分（国通法52①）

次のいずれかに該当するときは、税務署長等は、その担保として提供された金銭をその国税に充て、若しくはその提供された金銭以外の財産を滞納処分の例により処分してその国税及びその財産の処分費に充てる。

① 担保の提供されている国税がその納期限（繰上げに係る期限及び納税の猶予等に係る期限を含む。）までに完納されないとき。

② 担保の提供されている国税についての納税の猶予等を取り消したとき。

３－２　第三者の権利の目的となっている財産の差押換〔ランクＡ〕

１．第三者の権利の尊重（法49）　重要度◎

徴収職員は、滞納者（譲渡担保権者を含む。）の財産を差し押えるに当たっては、滞納処分の執行に支障がない限り、その財産につき第三者が有する権利を害さないように努めなければならない。

２．差押換の請求（法50①）　重要度◎

次のすべての要件に該当するときは、その第三者は、税務署長に対し、その財産の公売公告の日（随意契約による売却をする場合には、その売却の日）までに、その差押換を請求することができる。

(1) 質権、抵当権、先取特権（不動産保存の先取特権等又は不動産賃貸の先取特権等に限る。）、留置権、賃借権その他第三者の権利（上記の先取特権以外の先取特権を除く。）の目的となっている財産が差し押えられたこと。

(2) 滞納者が他に換価の容易な財産で他の第三者の権利の目的となっていないものを有しており、かつ、その財産によりその滞納者の国税の全額を徴収することができること。

３．請求があった場合の処理（法50②）　重要度○

税務署長は、差押換の請求があった場合において、その請求を相当と認めるときは、その差押換をしなければならないものとし、その請求を相当と認めないときは、その旨をその第三者に通知しなければならない。

４．換価の申立（法50③）　重要度○

差押換の請求を相当と認めない旨の通知を受けた第三者は、その通知を受けた日から起算して７日を経過した日までに、上記２により差押換を請求した財産の換価をすべきことを申し立てることができる。

５．換価の制限（法50③）　重要度○

上記４の換価の申立があった場合には、上記２により差押換を請求した財産が換価の著しく困難なものであり、又は他の第三者の権利の目的となっているものであるときを除き、これを差し押え、かつ換価に付した後でなければ、当初差し押えた第三者の権利の目的となっている財産を換価することができない。

６．差押えの解除（法50④）

重要度○

税務署長は、上記５の場合において、その換価の申立があった日から２月以内にその申立に係る財産を差し押え、かつ、換価に付さないときは、原則として当初差し押えた第三者の権利の目的となっている財産の差押えを解除しなければならない。

７．滞納処分の制限との関係（法50⑤）

重要度△

差押換又は換価の申立による新たな差押えは、国税に関する法律の規定で新たに滞納処分の執行をすることができないこととするものにかかわらず、することができる。

3－3　相続があった場合の財産の差押換　〔ランクＢ〕

１．相続人の権利の尊重（法51①）　重要度◎

徴収職員は、被相続人の国税につきその相続人の財産を差し押える場合には、滞納処分の執行に支障がない限り、まず相続財産を差し押えるように努めなければならない。

２．差押換の請求（法51②、令20）　重要度◎

次のすべての要件に該当するときは、その相続人は、税務署長に対し、その財産の公売公告の日（随意契約による売却をする場合には、その売却の日）までに、その差押換を請求することができる。

(1) 被相続人の国税につき相続人の固有財産が差し押えられたこと。

(2) 相続人が他に換価が容易な相続財産で第三者の権利の目的となっていないものを有しており、かつ、その財産によりその国税の全額を徴収することができること。

３．請求があった場合の処理（法51③）　重要度○

税務署長は、差押換の請求があった場合において、その請求を相当と認めるときは、その差押換をしなければならないものとし、その請求を相当と認めないときは、その旨をその相続人に通知しなければならない。

４．滞納処分の制限との関係（法51③）　重要度△

差押換による新たな差押えは、国税に関する法律の規定で新たに滞納処分の執行をすることができないこととするものにかかわらず、することができる。

(MEMO)

3－4　差押えにおける留意規定　〔ランクＡ〕

１．超過差押の禁止（法48①）　重要度◎

国税を徴収するために必要な財産以外の財産は、差し押えることができない。

２．無益な差押の禁止（法48②）　重要度◎

差し押えることができる財産の価額が、その差押に係る滞納処分費及び徴収すべき国税に先立つ他の国税、地方税その他の債権の合計額を超える見込みがないときは、その財産は、差し押さえることができない。

３．一般の差押禁止財産（法75）　重要度○

滞納者等の最低生活の安定の保障、生業の維持等の観点から、次に掲げる財産は差し押えることができない。

(1) 滞納者及びその者と生計を一にする配偶者その他の親族（以下「生計を一にする親族」という。）の生活に欠くことができない衣服、寝具、家具、台所用具、畳及び建具

なお、畳及び建具は、建物その他の工作物とともには、差し押えることができる。

(2) 滞納者及びその者と生計を一にする親族の生活に必要な３月間の食料及び燃料

(3) 主として自己の労力により農業を営む者の農業に欠くことができない器具、肥料、労役の用に供する家畜及びその飼料並びに次の収穫まで農業を続行するために欠くことができない種子その他これに類する農産物

(4) 主として自己の労力により漁業を営む者の水産物の採捕または養殖に欠くことができない魚網その他の漁具、えさ及び稚魚その他これに類する水産物

(5) 技術者、職人、労務者その他主として自己の知的又は肉体的な労働により職業又は営業に従事する者（(3)および(4)に掲げる者を除く。）のその業務に欠くことのできない器具その他の物（商品を除く。）

(6) 実印その他の印で職業又は生活に欠くことができないもの

(7) 仏像、位牌その他礼拝又は祭祀に直接供するため欠くことのできない物

(8) 滞納者に必要な系譜、日記及びこれに類する書類

(9) 滞納者又はその親族が受けた勲章その他名誉の章票

(10) 滞納者又はその者と生計を一にする親族の学習に必要な書籍及び器具

(11) 発明又は著作に係るもので、まだ公表していないもの
(12) 滞納者又はその者と生計を一にする親族に必要な義手、義足その他の身体の補足に供する物
(13) 建物その他の工作物について、災害の防止又は保安のため法令の規定により設備しなければならない消防用の機械又は器具、避難器具その他の備品
なお、これらの財産は、建物その他の工作物とともには、差し押えることができる。

４．給与の差押禁止（法76）　重要度△

給与等及び退職手当等については、それぞれ一定額に達するまでの部分の金額は、原則として差し押えることができない。

５．社会保険制度に基づく給付の差押禁止（法77）　重要度△

社会保険制度に基づいて支給される退職年金、老齢年金、普通恩給、休業手当金及びこれらの性質を有する給付に係る債権は給与等と、退職一時金、一時恩給及びこれらの性質を有する給付に係る債権は退職手当等とそれぞれみなして、４の規定を適用する。

６．条件付差押禁止財産（法78）　重要度○

次に掲げる財産（３の(3)から(5)までの財産を除く。）は、滞納者がその国税の全額を徴収することができる財産で、換価が困難でなく、かつ、第三者の権利の目的となっていないものを提供したときは、その選択により、差押えをしないものとする。
(1) 農業に必要な機械、器具、家畜類、飼料、種子その他の農産物、肥料、農地及び採草放牧地
(2) 漁業に必要な魚網その他の漁具、えさ、稚魚その他の水産物及び漁船
(3) 職業または事業（(1)及び(2)に掲げる事業を除く。）の継続に必要な機械、器具その他の備品及び原材料その他たな卸をすべき資産

テーマ３　滞納処分

《参　考》

(1) 差押対象財産の要件

①　差押えの対象となる財産は、法施行地内にあるものでなければならない。なお、財産の所在については、相続税法第10条「財産の所在」に定めるところに準ずるものとする。

(注) 法施行地外に滞納者の財産があると認められる場合であっても、租税条約等の規定に基づき、相手国等に対し、徴収の共助の要請をすることができる場合がある。

②　差押えの対象となる財産は、差押え時に滞納者に帰属しているものでなければならない。

③　差押えの対象となる財産は、金銭的価値を有するものでなければならない。

④　差押えの対象となる財産は、譲渡性を有するか又は取立てができるものでなければならない。

⑤　差押えの対象となる財産は、差押禁止財産でないものでなければならない。

(2) 差押財産の選択

差押可能財産のうちから、どの財産を選択して差押えるかは、徴収職員の裁量に委ねられているが、以下のことに十分に留意して差押財産を選択しなければならない。

①　第三者の権利を害することが少ない財産であること。

②　滞納者の生活の維持又は事業の継続に与える支障が少ない財産であること。

③　換価が容易な財産であること。

④　保管又は引揚げに便利な財産であること。

3－5　各種財産の共通的な差押手続　〔ランクA〕

1．差押調書の作成等（法54）　重要度◎

徴収職員は、滞納者の財産を差し押えたときは、差押調書を作成し、その財産が次に掲げる財産であるときは、その謄本を滞納者に交付しなければならない。

(1) 動産又は有価証券

(2) 債　権

(3) 無体財産権等のうち第三債務者等がある財産

2．質権者等に対する差押えの通知（法55）　重要度◎

(1) 通知を要する場合

次に掲げる財産を差し押えたときは、税務署長は、それぞれに掲げる者のうち知れている者に対し、その旨その他必要な事項を通知しなければならない。

① 質権、抵当権、先取特権、留置権、賃借権その他の第三者の権利（担保のための仮登記に係る権利を除く。）の目的となっている財産
……これらの権利を有する者

② 仮登記がある財産
……仮登記の権利者

③ 仮差押え又は仮処分がされている財産
……仮差押え又は仮処分をした保全執行裁判所又は執行官

(2) 通知を要しない場合

捜索調書の作成につき、その謄本の交付に代えて差押調書の謄本の交付を受けた者に対しては、上記(1)の通知を要しない。

3－6　動産又は有価証券の差押え　〔ランクＡ〕

１．差押手続（法56①）　重要度◎

動産又は有価証券の差押えは、徴収職員がその財産を占有して行う。

２．差押動産等の保管（法60）　重要度◎

(1) 保　管

徴収職員は、必要があると認めるときは、差し押えた動産又は有価証券を滞納者又はその財産を占有する第三者に保管させることができる。ただし、その第三者に保管させる場合には、その運搬が困難であるときを除き、その者の同意を受けなければならない。

(2) 差押えの表示

上記(1)の場合には、封印、公示書その他差押えを明白にする方法により差し押えた旨を表示しなければならない。

３．差押えの効力発生時期　重要度◎

(1) 原　則（法56②）

動産又は有価証券の差押えの効力は、徴収職員がその財産を占有した時に生ずる。

(2) 例　外（法60②）

差し押えた動産又は有価証券を滞納者又は第三者に保管させたときは、上記(1)にかかわらず、封印、公示書その他差押えを明白にする方法により差し押えた旨を表示した時に、差押えの効力が生ずる。

４．差押動産の使用収益（法61）　重要度○

徴収職員は、滞納者又は賃借人等の第三者に差し押えた動産を保管させる場合において、国税の徴収上支障がないと認めるときは、その使用又は収益を許可することができる。

５．金銭差押の効果（法56③）　重要度○

徴収職員が金銭を差し押えたときは、その限度において、滞納者から差押えに係る国税を徴収したものとみなす。

６．有価証券に係る債権の取立（法57）

重要度○

(1) 取立権の取得

有価証券を差し押えたときは、徴収職員は、その有価証券に係る金銭債権の取立をすることができる。

(2) 金銭取立の効果

徴収職員が上記(1)により金銭を取り立てたときは、その限度において、滞納者から差押えに係る国税を徴収したものとみなす。

3−7　第三者が占有する動産等の差押えに当たっての第三者の権利の保護　〔ランクA〕

１．第三者の権利の尊重（法49）

重要度◎

徴収職員は、滞納者（譲渡担保権者を含む。）の財産を差し押えるに当たっては、滞納処分の執行に支障がない限り、その財産につき第三者が有する権利を害さないように努めなければならない。

２．第三者が占有する動産等の差押え

重要度◎

(1) 差押の制限（法58①）

滞納者の動産又は有価証券でその親族その他の特殊関係者以外の第三者が占有しているものは、その第三者が引渡を拒むときは、差し押えることができない。

(2) 引渡命令（法58②）

上記(1)の場合において、次のすべての要件に該当するときは、税務署長は、その第三者に対し、期限を指定して、その動産又は有価証券を徴収職員に引き渡すべきことを書面により命ずることができる。

① 上記(1)の第三者がその引渡を拒むこと。

② 滞納者が他に換価が容易であり、かつ、その滞納国税の全額を徴収することができる財産を有しないと認められること。

この場合において、その命令をした税務署長は、その旨を滞納者に通知しなければならない。

(3) 引渡命令の期限（令24③）

上記(2)の引渡命令の期限は、その書面を発する日から起算して７日を経過した日以後の日としなければならない。ただし第三者につき繰上請求に該当する事実が生じたときは、この期限を繰り上げることができる。

(4) 引渡命令後の差押（法58③）

上記(2)の引渡命令に係る動産若しくは有価証券が徴収職員に引き渡されたとき、又はその引渡命令を受けた第三者が指定期限までに徴収職員にその引渡をしないときは、徴収職員は、上記(1)にかかわらず、その動産又は有価証券を差し押えることができる。

３．引渡命令を受けた第三者等の権利の保護

（法59①～③、令25①②）

重要度◎

上記２(2)により動産の引渡を命ぜられた第三者が、滞納者との契約による賃借権、使用貸借権その他動産の使用又は収益をする権利に基づきその命令に係る動産を占有している場合において、その引渡をすることにより占有の目的を達することができなくなるときは、その第三者は、契約を解除する方法と使用又は収益を請求する方法とのいずれかを選択することができる。

(1) 契約を解除する方法を選択した場合

① 契約解除の通知

引渡命令を受けた第三者は、その動産の差押えの時までに、税務署長に対し、契約を解除した旨の通知を書面でしなければならない。

② 損害賠償請求権への配当

上記①の契約の解除により滞納者に対して取得する損害賠償請求権については、その動産の売却代金の残余のうちから配当を受けることができる。

③ 前払借賃への配当

賃貸借契約に基づいて動産を占有している第三者が、引渡命令を受けたため契約を解除した場合において、その引渡命令があった時前にその後の期間分の借賃を前払いしているときは、その第三者は、税務署長に対し、その動産の売却代金のうちから前払借賃に相当する金額（ただし、引渡動産の差押えの日後の期間に係るもので、最高３月分）の配当を請求することができる。

(2) 使用又は収益の方法を選択した場合

① 使用又は収益の請求

動産の引渡命令を受けた第三者は、上記(1)により契約を解除しないときは、その動産の差押え時までに税務署長に対し、書面でその使用又は収益の請求をしなければならない。

なお、動産の引渡を命ぜられた第三者が、その動産の差押え時までに、契約の解除の通知又は使用若しくは収益の請求をしないときは、使用又は収益の請求があったものとみなされる。

② 使用又は収益の期間

使用又は収益ができる期間は、引渡命令のあった動産の占有の基礎となっている契約期間内である。ただし、その動産を差し押えた日から３月を限度とする。

４．引渡を拒まなかった第三者への準用

重要度○

上記３の規定は上記２(1)において動産の引渡を拒まなかった第三者について準用する。

(MEMO)

3－8　債権の差押え　〔ランクＡ〕

1．差押手続　重要度◎

(1) 差押手続（法62①）

債権（電子記録債権を除く。）の差押えは、第三債務者に対する債権差押通知書の送達により行う。

(2) 差押登録の嘱託（法62④）

税務署長は、債権（電子記録債権を除く。）でその移転につき登録を要するものを差し押えたときは、差押えの登録を関係機関に嘱託しなければならない。

(3) 抵当権等により担保される債権の差押え（法64）

① 差押登記の嘱託

……抵当権又は登記することができる質権若しくは先取特権によって担保される債権を差し押えたときは、税務署長は、その債権の差押えの登記を関係機関に嘱託することができる。

② 権利者に対する差押えの通知

……上記①の場合において、その嘱託をした税務署長は、その抵当権若しくは質権が設定されている財産又は先取特権がある財産の権利者（第三債務者を除く。）に差し押えた旨を通知しなければならない。

(4) 債権証書の取上（法65）

徴収職員は、債権の差押えのため必要があるときは、その債権に関する証書を取り上げることができる。この場合においては、動産等の差押手続及び第三者が占有する動産等の差押手続の規定を準用する。

(5) 履行・処分の禁止（法62②）

徴収職員は、債権（電子記録債権を除く。）を差し押えるときは、債務者に対しその履行を、滞納者に対し債権の取立その他の処分を禁じなければならない。

(6) 差し押える債権の範囲（法63）

徴収職員は、債権を差し押えるときは、その全額を差し押えなければならない。ただし、その全額を差し押える必要がないと認めるときは、その一部を差し押えることができる。

2．差押えの効力発生時期（法62③）　重要度◎

債権（電子記録債権を除く。）の差押えの効力は、債権差押通知書が第三債務者に送達された時に生ずる。

３．電子記録債権の差押手続及び効力発生時期

重要度○

(1) 差押手続（法62の２①）

電子記録債権の差押えは、第三債務者及び当該電子記録債権の電子記録をしている電子債権記録機関に対する債権差押通知書の送達により行う。

(2) 履行・処分等の禁止（法62の２②）

徴収職員は、電子記録債権を差し押えるときは、第三債務者に対しその履行を、電子債権記録機関に対し電子記録債権に係る電子記録を、滞納者に対し電子記録債権の取立てその他の処分又は電子記録の請求を禁じなければならない。

(3) 差押えの効力発生時期（法62の２③）

上記(1)の差押の効力は、債権差押通知書が電子債権記録機関に送達された時に生ずる。ただし、第三債務者に対する差押えの効力は、債権差押通知書が第三債務者に送達された時に生ずる。

４．差押えの効力

重要度○

(1) 果実に対する効力（法52②）

差押えの効力は、差押財産から生ずる法定果実に及ばない。ただし、債権を差し押えた場合における差押え後の利息については、この限りでない。

(2) 継続的な収入に対する差押えの効力（法66）

給料若しくは年金又はこれらに類する継続収入の債権の差押の効力は、徴収すべき国税の額を限度として、差押え後に収入すべき金額に及ぶ。

５．差し押えた債権の取立

重要度○

(1) 取立権の取得（法67①②）

徴収職員は、差し押えた債権の取立をすることができる。この場合において、取り立てたものが金銭以外のものであるときは、これを差し押えなければならない。

(2) 金銭取立の効果（法67③）

徴収職員が上記(1)により金銭を取り立てたときは、その限度において、滞納者から差押えに係る国税を徴収したものとみなす。

(3) 弁済委託（法67④）

上記(1)の取立をする場合において、第三債務者が徴収職員に対し、その債権の弁済の委託をしようとするときは、納付委託の規定を準用する。

ただし、その証券の取り立てるべき期限が差し押えた債権の弁済期後となるときは、第三債務者は、滞納者の承認を受けなければならない。

3−9　不動産の差押え　〔ランクＡ〕

１．差押手続　重要度◎

(1) 差押手続（法68①）

不動産の差押えは、滞納者に対する差押書の送達により行う。

(2) 差押登記の嘱託（法68③）

税務署長は、不動産を差し押えたときは、差押の登記を関係機関に嘱託しなければならない。

２．差押えの効力発生時期　重要度◎

(1) 原　則（法68②）

不動産の差押えの効力は、その差押書が滞納者に送達された時に生ずる。

(2) 例　外（法68④⑤）

①　差押えの登記が差押書の送達前にされた場合には、上記(1)にかかわらず、その差押えの登記がされた時に差押えの効力が生ずる。

②　鉱業権の差押えの効力は、常に、差押えの登録がされた時に生ずる。

３．差押不動産の使用収益（法69）　重要度○

滞納者又は差し押えられた不動産につき使用又は収益をする権利を有する第三者は、その差し押えられた不動産につき、通常の用法に従い、使用又は収益をすることができる。

ただし、税務署長は、不動産の価値が著しく減耗する行為がされると認められるときに限り、その使用又は収益を制限することができる。

3－10　船舶又は航空機の差押え　〔ランクB〕

1．差押手続　重要度◎

(1) **差押手続**（法70①）
船舶又は航空機の差押えは、滞納者に対する差押書の送達により行う。

(2) **差押登記の嘱託**（法70①）
税務署長は、船舶又は航空機を差し押えたときは、差押えの登記を関係機関に嘱託しなければならない。

(3) **一時停泊**（法70②）
税務署長は、滞納処分のため必要があるときは、船舶又は航空機を一時停泊させることができる。ただし、航行中の船舶又は航空機については、この限りでない。

(4) **監守・保存処分**（法70③）
徴収職員は、滞納処分のため必要があるときは、船舶又は航空機の監守及び保存のため必要な処分をすることができる。

(5) **航行の許可**（法70⑤）
税務署長は、停泊中の船舶若しくは航空機を差し押えた場合又は船舶若しくは航空機を一時停泊させた場合において、営業上の必要その他相当の理由があるときは、滞納者並びにこれらにつき交付要求をした者及び抵当権その他の権利を有する者の申立により、航行を許可することができる。

2．差押えの効力発生時期　重要度◎

(1) **原　則**（法70①）
船舶又は航空機の差押えの効力は、その差押書が滞納者に送達された時に生ずる。

(2) **例　外**（法70①④）
差押えの登記又は上記１(4)の処分が差押書の送達前にされた場合には、上記(1)にかかわらず、その差押えの登記がされた時又はその処分をした時に差押えの効力が生ずる。

3－11　自動車、建設機械又は小型船舶の差押え〔ランクB〕

1．差押手続　重要度◎

(1) 差押手続（法71①）

自動車、建設機械又は小型船舶の差押えは、滞納者に対する差押書の送達により行う。

(2) 差押登記の嘱託（法71①）

税務署長は、自動車、建設機械又は小型船舶を差し押えたときは、差押えの登記を関係機関に嘱託しなければならない。

(3) 監守・保存処分（法71②）

徴収職員は、滞納処分のため必要があるときは、自動車、建設機械又は小型船舶の監守及び保存のため必要な処分をすることができる。

(4) 引渡命令等（法71③④）

① 税務署長は、自動車、建設機械又は小型船舶を差し押えた場合には、滞納者に対し、これらの引渡を命じ、徴収職員にこれらの占有をさせることができる。

② 滞納者の親族その他の特殊関係者が占有している場合には、税務署長は、滞納者及びその第三者に対して直ちに引き渡すべきことを命じ、徴収職員にこれらの占有をさせることができる。

③ 滞納者の親族その他の特殊関係者以外の第三者が占有している場合には、第三者が占有する動産等の差押手続に準じ、その第三者がその引渡を拒んだときは、引渡命令を発した上でなければ占有することができない。

④ 上記③の場合には、動産の場合と同様に、引渡命令を受けた第三者の権利の保護の規定を準用する。

(5) 保　管（法71⑤）

徴収職員は、上記(4)により占有する自動車、建設機械又は小型船舶を滞納者又はこれらを占有する第三者に保管させることができる。

この場合においては、封印その他の公示方法によりその自動車、建設機械又は小型船舶が徴収職員の占有に係る旨を明らかにしなければならないものとし、また、下記(6)の場合を除き、これらの運行、使用又は航行をさせないための適当な措置を講じなければならない。

(6) 運行等の許可（法71⑥）

徴収職員は、上記(4)又は(5)により占有し、又は保管させた自動車、建設機械又は小型船舶につき、営業上の必要その他相当の理由があるときは、滞納者並びにこれらにつき交付要求をした者及び抵当権その他の権利を有する者の申立てにより、その運行、使用又は航行を許可することができる。

2．差押えの効力発生時期

重要度◎

(1) 原　則（法71①）

自動車、建設機械又は小型船舶の差押えの効力は、その差押書が滞納者に送達された時に生ずる。

(2) 例　外（法71①②）

差押えの登記又は上記１(3)の処分が差押書の送達前にされた場合には、上記(1)にかかわらず、その差押えの登記がされた時又はその処分をした時に差押えの効力が生ずる。

3－12　第三債務者等がない無体財産権等の差押え〔ランクB〕

1．差押手続　重要度◎

(1) 差押手続（法72①）

第三債務者等がない無体財産権等の差押えは、滞納者に対する差押書の送達により行う。

(2) 差押登記の嘱託（法72③）

税務署長は、無体財産権等でその権利の移転につき登記を要するものを差し押えたときは、差押えの登記を関係機関に嘱託しなければならない。

2．差押えの効力発生時期　重要度◎

(1) 原　則（法72②）

第三債務者等がない無体財産権等の差押えの効力は、その差押書が滞納者に送達された時に生ずる。

(2) 例　外（法72④⑤）

① 差押えの登記が差押書の送達前にされた場合には、上記(1)にかかわらず、その差押えの登記がされた時に差押えの効力が生ずる。

② 特許権、実用新案権、意匠権及び商標権の差押えの効力は、常に、差押えの登記がされた時に生ずる。

（MEMO）

3−13　第三債務者等がある無体財産権等の差押え　〔ランクA〕

1．差押手続　重要度◎

(1) 差押手続（法73①）

第三債務者等がある無体財産権等（振替社債等を除く。）の差押えは、第三債務者等に対する差押通知書の送達により行う。

(2) 差押登記の嘱託（法73③）

税務署長は、無体財産権等でその権利の移転につき登記を要するものを差し押えたときは、差押えの登記を関係機関に嘱託しなければならない。

(3) 権利証書の取上（法73⑤）

徴収職員は、債権証書の取上の規定に準じ、第三債務者等がある無体財産権等の権利に関する証書を取り上げることができる。

2．差押えの効力発生時期　重要度◎

(1) 原　則（法73②）

第三債務者等がある無体財産権等（振替社債等を除く。）の差押えの効力は、その差押通知書が第三債務者等に送達された時に生ずる。

(2) 例　外（法73③④）

① 差押えの登記が差押通知書の送達前にされた場合には、上記(1)にかかわらず、その差押えの登記がされた時に差押えの効力が生ずる。

② 特許権、実用新案権及び意匠権についての専用実施権並びに商標権についての専用使用権の差押えの効力は、常に、差押えの登記がされた時に生ずる。

3．差し押えた持分の払戻の請求　重要度○

(1) 払戻請求（法74①）

次のすべての要件に該当するときは、税務署長は、その組合等（持分会社を除く）に対し、その持分の一部の払戻を請求することができる。

① 特定の組合員、会員その他の構成員である滞納者の持分を差し押えたこと。

② 上記①の持分につき次に掲げる理由があること。

イ　その持分を再度換価に付してもなお買受人がないこと。

ロ　その持分の譲渡につき法律又は定款に制限があるため、譲渡することができないこと。

③　上記①の持分以外の財産につき滞納処分を執行してもなお徴収すべき国税に不足すると認められること。

(2) 請求の予告（法74②）

上記(1)の請求は、原則として、30日前に組合等にその予告をした後でなければ、行うことができない。

４．取　立（法73⑤）　重要度○

債権証書の取上及び差し押えた債権の取立の規定は、第三債務者等がある無体財産権等について準用する。

５．振替社債等の差押手続及び効力発生時期　重要度○

(1) 差押手続（法73の２①）

振替社債等の差押えは、振替社債等の発行者及び滞納者がその口座の開設を受けている振替機関等に対する差押通知書の送達により行う。

(2) 履行・振替等の禁止（法73の２②）

徴収職員は、振替社債等を差し押えるときは、発行者に対しその履行を、振替機関等に対し振替社債等の振替又は抹消を、滞納者に対し振替社債等の取立その他の処分又は振替若しくは抹消の申請を禁じなければならない。

(3) 差押えの効力発生時期（法73の２③）

上記(1)の差押えの効力は、差押通知書が振替機関等に送達された時に生ずる。

(4) 債権の取り立て（法73の２④）

差し押えた債権の取立の規定は、振替社債等について準用する。

3−14　差押えの一般的効力　〔ランクＡ〕

差押えの効力は、各種財産に特有なものと、それ以外に一般的なものとがあり、一般的な効力には以下のものが挙げられる。

１．処分禁止の効力　重要度○

差押財産の処分で国税を徴収するのに不利益となる処分は禁止される。

２．時効完成猶予の効力（国通法72③）　重要度○

国税の徴収権の消滅時効は完成しない。

３．従物に対する効力（民87）　重要度◎

主物を差し押えた場合には、その差押えの効力は従物に及ぶ。

４．果実に対する効力（法52）　重要度◎

(1) 天然果実

差押えの効力は、差押財産から生ずる天然果実に及ぶ。

ただし、滞納者又は第三者が差押財産の使用又は収益ができる場合のその天然果実には及ばない。

(2) 法定果実

差押えの効力は、差押財産から生ずる法定果実に及ばない。

ただし、債権を差し押えた場合の差押え後の利息については及ぶ。

５．保険に付されている財産に対する効力　重要度◎

(1) 損害保険金等の請求権に対する効力（法53①）

差押財産が損害保険契約等の目的となっているときは、その差押えの効力は、保険金等の支払いを受ける権利に及ぶ。

ただし、損害保険等の目的物を差し押えた旨を保険者等に通知しなければ、その差押えをもって保険者等に対抗できない。

(2) 抵当権等が設定されていた場合の物上代位の特則（法53②）

抵当権等が設定されている差押財産から生じた保険金等について、徴収職員がその支払いを受けた場合には、その抵当権者等が行う物上代位の行使のための差押えは、その支払い前にされたものとみなす。

６．相続等に対する効力（法139）

重要度◎

(1) 滞納者の財産について、滞納処分を執行した後、滞納者が死亡し、又は滞納者である法人が合併により消滅したときは、その財産につき滞納処分を続行することができる。

(2) 滞納者の死亡後その国税につき滞納者の名義の財産に対してした差押えは、その国税につきその財産を有する相続人に対してされたものとみなす。ただし、徴収職員がその死亡を知っていたときは、この限りでない。

(3) 信託の受託者の任務が終了した場合において、新たな受託者が就任に至るまでの間に信託財産に属する財産について滞納処分を執行した後、新たな受託者が就任したときは、その財産につき滞納処分を続行することができる。

(4) 信託の受託者である法人の信託財産に属する財産について滞納処分を執行した後、その受託者である法人としての権利義務を承継する分割が行われたときは、その財産につき滞納処分を続行することができる。

７．仮差押等に対する効力（法140）

重要度◎

滞納処分は、仮差押又は仮処分によりその執行を妨げられない。

８．優先徴収の効力（法12①）

重要度○

差押えに係る国税は、交付要求を受けた他の国税又は地方税に優先して徴収される。

９．担保のための仮登記がある財産に対する効力（法52の２）

重要度◎

(1) 清算金支払前の場合

担保のための仮登記がある財産につき滞納処分による差押えがあった場合において、その差押えが清算金の支払の債務の弁済前（清算金がないときは、清算期間の経過前）にされたものであるときは、担保仮登記権利者は、その仮登記に基づく本登記の請求をすることができない。

(2) 清算金支払後の場合

担保のための仮登記がある財産につき滞納処分による差押えがあった場合において、その差押えが清算金の支払の債務の弁済後（清算金がないときは、清算期間の経過後）にされたものであるときは、担保仮登記権利者は、その財産の所有権の取得をもって差押債権者に対抗することができる。

10．延滞税の一部免除の効力（国通法63⑤）

重要度○

滞納国税の全額を徴収するために必要な財産につき差押えをした場合には、延滞税の一部を免除できる。

(MEMO)

3−15　差押えの解除　〔ランクＡ〕

１．差押えの解除をしなければならない場合　重要度◎

(1) 差押国税の消滅・無益な差押え（法79①）

徴収職員は、次のいずれかに該当するときは、差押えを解除しなければならない。

① 納付、充当、更正の取消その他の理由により差押えに係る国税の全額が消滅したとき。

② 差押財産の価額がその差押えに係る滞納処分費及び差押えに係る国税に先だつ他の国税、地方税その他の債権の合計額を超える見込みがなくなったとき。

(2) 第三者の権利の目的となっている財産の差押換（法50②④）

第三者の権利の目的となっている財産が差し押えられた場合において、次のいずれかに該当するときは、税務署長は、その第三者の権利の目的となっている財産の差押えを解除しなければならない。

① 第三者からの差押換の請求を相当と認めるとき。

② 第三者からの差押換の請求に基づく換価の申立があった場合において、その申立があった日から２月以内にその申立に係る財産を差し押え、かつ、換価に付さないとき。

(3) 相続があった場合の財産の差押換（法51③）

被相続人の国税につき相続人の固有財産が差し押えられた場合において、その相続人からの差押換の請求を相当と認めるときは、税務署長は、相続人の固有財産の差押えを解除しなければならない。

(4) 滞納処分の停止（法153③）

税務署長は、滞納者につき滞納処分を執行等することによってその生活を著しく窮迫させるおそれがあると認めるため滞納処分の執行を停止した場合において、その停止に係る国税について差し押えた財産があるときは、その差押えを解除しなければならない。

(5) 保全差押・繰上保全差押（法159⑤、国通法38④）

徴収職員は、次のいずれかに該当するときは、その差押えを解除しなければならない。

① 保全差押又は繰上保全差押えを受けた者が保全差押金額又は繰上保全差押金額に相当する担保を提供して、その差押えの解除を請求したとき。

②　保全差押金額の通知をした日から６月を経過した日又は繰上保全差押金額の通知をした日から10月を経過した日までに、その差押えに係る国税につき納付すべき額の確定がないとき。

(6) 不服申立て（国通法105⑥）

徴収の所轄庁は、国税不服審判所長から差押えの解除を求められたときは、その差押えを解除しなければならない。

２．差押えの解除をすることができる場合　重要度◎

(1) 超過差押・差押換の請求等（法79②）

徴収職員は、次のいずれかに該当するときは、差押財産の全部又は一部について、その差押えを解除することができる。

①　差押えに係る国税の一部の納付、充当、更正の一部の取消、差押財産の値上りその他の理由により、その価額が差押えに係る国税及びこれに先だつ他の国税、地方税その他の債権の合計額を著しく超過すると認められるに至ったとき。

②　滞納者が他に差し押えることができる適当な財産を提供した場合において、その財産を差し押えたとき。

③　差押財産について、３回公売に付しても入札又は競り売りに係る買受の申込み（以下「入札等」という。）がなかった場合において、その差押財産の形状、用途、法令による利用の規制その他の事情を考慮して、更に公売に付しても買受人がないと認められ、かつ、随意契約による売却の見込みがないと認められるとき。

(2) 換価の猶予（法152②）

税務署長は、換価の猶予をする場合において、必要があると認めるときは、差押えにより滞納者の事業の継続又は生活の維持を困難にするおそれがある財産の差押えを猶予し、又は解除することができる。

(3) 納税の猶予（国通法48②）

税務署長等は、納税の猶予をした場合において、その猶予に係る国税につき既に滞納処分により差し押えた財産があるときは、その猶予を受けた者の申請に基づき、その差押えを解除することができる。

(4) 保全差押・繰上保全差押（法159⑥、国通法38④）

徴収職員は、保全差押又は繰上保全差押を受けた者につき、その資力その他の事情の変化により、その差押えの必要がなくなったと認められることとなったときは、その差押えを解除することができる。

(5) 不服申立て（国通法105③）

再調査審理庁又は国税庁長官は、再調査請求人等が、担保を提供して、不服申立ての目的となった処分に係る国税につき、既にされている滞納処分による差押えを解除することを求めた場合において、相当と認めるときは、その差押えを解除することができる。

3．差押えの解除の手続

重要度○

(1) 解除の方法（法80①）

差押の解除は、その旨を滞納者に通知することによって行う。

ただし、債権及び第三債務者等のある無体財産権等の差押えの解除は、その旨を第三債務者等に通知することによって行う。

(2) 解除の手続（法80②③⑤、81）

① 動産の引渡等

徴収職員は、次に掲げる財産の差押えの解除をしたときは、それぞれ次に掲げる手続をしなければならない。ただし、イに規定する除去は、滞納者またはその財産を占有する第三者に行なわせることができる。

イ　動産、有価証券、徴収職員が占有した自動車、建設機械、小型船舶、債権（権利）証書

……その引渡および封印・公示書その他差押えを明白にするために用いた物の除去

ロ　債権または第三債務者等がある無体財産権等

……滞納者への通知

② 差押えの登記の抹消の嘱託

差押えの登記をした財産の差押えを解除したときは、その登記のまっ消を関係機関に嘱託しなければならない。

③ 質権者等への通知

解除した財産上の質権者等の権利者及び交付要求をしている者に対して、解除した旨その他必要な事項を通知しなければならない。

(3) 引渡の場所（法80④）

上記(2)①イの財産の引渡は、滞納者に対し、次に掲げる場合の区分に応じ、それぞれに掲げる場所において行わなければならない。

ただし、差押えの時に滞納者以外の第三者が占有していたものについては、滞納者に対し引渡をすべき旨の第三者の申出がない限り、その第三者に引き渡さなければならない。

①　更正の取消その他国の責に帰すべき理由による場合
……差押えの時に存在した場所
②　その他の場合
……差押えを解除した時に存在する場所

3−16　交　付　要　求　〔ランクA〕

1. 要　件（法82①）　重要度◎

滞納者の財産につき強制換価手続が行われた場合には、税務署長は、執行機関に対し、滞納国税につき、交付要求をしなければならない。

2. 手　続（法82①～③）　重要度◎

(1) 交付要求書の交付

交付要求は、その強制換価手続の執行機関に対し、交付要求書を交付することにより行う。

(2) 滞納者等への通知

税務署長は、交付要求をしたときは、その旨を滞納者及び質権者等の利害関係人に対し、書面により通知しなければならない。

3. 効　力　重要度○

(1) 配当への参加（法129①二）

強制換価手続が行われた場合においては、交付要求をした国税は、その換価代金から配当を受けることができる。

(2) 交付要求先着手による優先（法13）

交付要求があったときは、その換価代金につき、先にされた交付要求に係る国税は、後にされた交付要求に係る国税又は地方税に先だって徴収する。

(3) 消滅時効の完成猶予及び更新（国通法73①五②）

国税の徴収権の時効は、交付要求の効力が生じた時に完成せず、その交付要求がされている期間（滞納者に通知されていない期間があるときは、その期間を除く。）を経過した時から新たにその進行を始める。

(4) 交付要求の失効

強制換価手続が解除又は取り消された場合においては、交付要求は、上記(3)を除きその効力を失う。

4. 制　限（法83）　重要度○

税務署長は、滞納者が他に換価の容易な財産で第三者の権利の目的となっていないものを有しており、かつ、その財産によりその国税の全額を徴収することができると認められるときは、交付要求をしないものとする。

５．解除請求（法85）　重要度○

(1) **要　件**

強制換価手続により配当を受けることができる債権者は、交付要求があったときは、税務署長に対し、次のいずれにも該当することを理由として、その交付要求を解除すべきことを請求することができる。

① その交付要求により自己の債権の全部又は一部の弁済を受けることができないこと。

② 滞納者が他に換価の容易な財産で第三者の権利の目的となっていないものを有しており、かつ、その財産によりその交付要求に係る国税の全額を徴収することができること。

(2) **請求があった場合の処理**

税務署長は、上記(1)の請求があった場合において、その請求を相当と認めるときは、交付要求を解除しなければならないものとし、その請求を相当と認めないときは、その旨をその請求をした者に通知しなければならない。

６．解　除（法84）　重要度○

(1) **内　容**

税務署長は、納付その他の理由により交付要求に係る国税が消滅したときは、その交付要求を解除しなければならない。

(2) **手　続**

① 交付要求の解除は、その旨をその交付要求に係る執行機関に通知することによって行う。

② 交付要求を解除した場合には、その旨を滞納者及び質権者等の利害関係人に対し、書面により通知しなければならない。

《参　考》

(1) **強制換価手続**（法２十二）

滞納処分（その例による処分を含む。）、強制執行、担保権の実行としての競売、企業担保権の実行手続及び破産手続をいう。

(2) **執行機関**（法２十三）

滞納処分を執行する行政機関その他の者（「行政機関等」という。）、裁判所、執行官及び破産管財人をいう。

3−17　参　加　差　押　〔ランクＡ〕

１．要　件（法86①）　重要度◎

税務署長は、滞納者の財産に対し滞納処分による差押えをすることができる場合において、滞納者の財産で次に掲げるものにつき既に滞納処分による差押えがされているときは、滞納処分をした行政機関等に対し、参加差押えをすることができる。

(1)　動産及び有価証券

(2)　不動産、船舶、航空機、自動車、建設機械及び小型船舶

(3)　電話加入権

２．手　続　重要度◎

(1)　参加差押書の交付（法86①）

参加差押えは、滞納処分をした行政機関等に対し、交付要求書に代えて参加差押書を交付することにより行う。

(2)　滞納者等への通知（法86②④）

①　税務署長は、参加差押えをしたときは、参加差押通知書により滞納者に通知しなければならない。この場合において、参加差押えをした財産が電話加入権であるときは、あわせて第三債務者にその旨を通知しなければならない。

②　税務署長は、参加差押えをしたときは、その旨を質権者等の利害関係人に対し、書面により通知しなければならない。

(3)　参加差押の登記の嘱託（法86③）

税務署長は、上記１(2)に掲げる財産につき参加差押えをしたときは、参加差押の登記を関係機関に嘱託しなければならない。

３．効　力　重要度○

(1)　配当への参加（法129①二）

滞納処分が行われた場合においては、参加差押えをした国税は、その換価代金から配当を受けることができる。

(2)　交付要求先着手による優先（法13）

交付要求（参加差押えを含む。）があったときは、その換価代金につき、先にされた交付要求に係る国税は、後にされた交付要求に係る国税又は地方税に先だって徴収する。

(3)　消滅時効の完成猶予及び更新（国通法73①五②）

国税の徴収権の時効は、参加差押えの効力が生じた時に完成せず、その参加差押えがされている期間（滞納者に通知されていない期間があるときは、その期間を除く。）を経過した時から新たにその進行を始める。

(4)　先行の差押えが解除された場合の効力（法87①）

参加差押えに係る財産につきされていた滞納処分による差押えが解除されたときは、その参加差押え（不動産、船舶、航空機、自動車、建設機械及び小型船舶について２以上の参加差押えがあるときは、そのうち最も先に登記されたものとし、その他の財産について２以上の参加差押えがあるときは、そのうち最も先にされたものとする。）は、次に掲げる時に遡って差押えの効力を生ずる。

①　動産及び有価証券

……参加差押書が滞納処分による差押えをした行政機関等に交付された時

②　不動産（鉱業権及び特定鉱業権を除く。）、船舶、航空機、自動車、建設機械及び小型船舶

……参加差押通知書が滞納者に送達された時。ただし、参加差押の登記がその送達前にされた場合には、その登記がされた時

③　鉱業権及び特定鉱業権

……参加差押の登録がされた時

④　電話加入権

……参加差押通知書が第三債務者に送達された時

(5)　差押財産の引渡等

①　財産の引渡（法87②）

税務署長は、差し押えた動産又は有価証券につき参加差押書の交付を受けた場合において、その動産又は有価証券の差押えを解除すべきときは、その動産又は有価証券を上記(4)により差押えの効力を生ずべき参加差押をした行政機関等に引き渡さなければならない。

差し押えた自動車、建設機械又は小型船舶の差押えの規定により徴収職員が占有しているものについても、また同様とする。

②　みなす参加差押え

参加差押えが２以上あった場合において、差押えの解除により、差押えの効力を生ずべき参加差押をした行政機関等に対して、他の参加差押書その他の書類のうち滞納処分に関し必要なものが引き渡されたときは、差押えの効力を生じなかった参加差押えは、その参加差押えをした時に遡って、差押えの効力を生ずべき参加差押えを行った行政機関等に対して参加差押えをしたものとみなされる。

(6) 換価の催告権（法87③）

参加差押えをした税務署長は、その参加差押えに係る滞納処分による差押財産が相当期間内に換価に付されないときは、速やかにその換価をすべきことをその滞納処分をした行政機関等に催告することができる。

4．制　限（法88①）　重要度○

税務署長は、滞納者が他に換価の容易な財産で第三者の権利の目的となっていないものを有しており、かつ、その財産によりその国税の全額を徴収することができると認められるときは、参加差押えをしないものとする。

5．解除請求（法88①）　重要度○

(1) 要　件

滞納処分により配当を受けることができる債権者は、参加差押えがあったときは、税務署長に対し、次のいずれにも該当することを理由として、その参加差押えを解除すべきことを請求することができる。

① その参加差押えにより自己の債権の全部又は一部の弁済を受けることができないこと。

② 滞納者が他に換価の容易な財産で第三者の権利の目的となっていないものを有しており、かつ、その財産によりその参加差押に係る国税の全額を徴収することができること。

(2) 請求があった場合の処理

税務署長は、上記(1)の請求があった場合において、その請求を相当と認めるときは、参加差押えを解除しなければならないものとし、その請求を相当と認めないときは、その旨をその請求をした者に通知しなければならない。

6．解　除（法88①②③）　重要度○

(1) 内　容

税務署長は、納付その他の理由により参加差押えに係る国税が消滅したときは、その参加差押えを解除しなければならない。

(2) 手　続

① 参加差押えの解除は、その旨をその参加差押えに係る行政機関等に通知することによって行う。

② 参加差押えを解除した場合には、その旨を滞納者及び質権者等の利害関係人に対し、書面により通知しなければならない。

③ 電話加入権の参加差押えを解除した場合には、その旨を第三債務者に通知

しなければならない。

④　参加差押の登記をした財産の参加差押を解除したときは、その登記の抹消を関係機関に嘱託しなければならない。

3−18　財産の調査　〔ランクA〕

1. 質問及び検査（法141）　重要度◎

(1) 徴収職員の滞納処分に関する調査に係る質問検査権

徴収職員は、滞納処分のため滞納者の財産を調査する必要があるときは、その必要と認められる範囲内において、次に掲げる者に対し質問し、その者の財産に関する帳簿書類（電磁的記録を含む。「事業者等への協力要請」及び「罰則」において同じ）その他の物件を検査し、又は当該物件（その写しを含む。）の提示若しくは提出を求めることができる。

① 滞納者

② 滞納者の財産を占有する第三者及びこれを占有していると認めるに足りる相当の理由がある第三者

③ 滞納者に対し債権若しくは債務があった、若しくはあると認めるに足りる相当の理由がある者又は滞納者から財産を取得したと認めるに足りる相当の理由がある者

④ 滞納者が株主又は出資者である法人

(2) 提出物件の留置き

徴収職員は、滞納処分に関する調査について必要があるときは、当該調査において提出された物件を留め置くことができる。

2. 捜索の権限及び方法（法142）　重要度◎

(1) 捜索の権限

① 徴収職員は、滞納処分のため必要があるときは、滞納者の物又は住居その他の場所につき捜索することができる。

② 徴収職員は、滞納処分のため必要がある場合には、次のいずれかに該当するときに限り、第三者の物又は住居その他の場所につき捜索することができる。

イ　滞納者の財産を所持する第三者がその引渡をしないとき。

ロ　滞納者の親族その他の特殊関係者が滞納者の財産を所持すると認めるに足りる相当の理由がある場合において、その引渡をしないとき。

(2) 捜索の方法

徴収職員は、上記(1)の捜索に際し必要があるときは、滞納者若しくは第三者に戸若しくは金庫その他の容器の類を開かせ、又は自らこれらを開くため必要な処分をすることができる。

３．搜索の時間制限（法143）　重要度◎

(1) 原　則

搜索は、日没後から日出前まではすることができない。

(2) 例　外

① 日没前に着手した搜索は、日没後まで継続することができる。

② 旅館、飲食店その他夜間でも公衆が出入りすることができる場所については、滞納処分の執行のためやむを得ない必要があると認めるに足りる相当の理由があるときは、上記(1)にかかわらず、日没後でも、公開した時間内は、搜索することができる。

４．搜索の立会人（法144）　重要度◎

徴収職員は、搜索をするときは、次に掲げる者を立ち会わせなければならない。

(1) その搜索を受ける滞納者若しくは第三者又はその同居の親族若しくは使用人その他の従業者で相当のわきまえのあるもの

(2) 上記(1)に掲げる者が不在であるとき、又は立会いに応じないときは、成年に達した者二人以上又は地方公共団体の職員若しくは警察官

５．出入禁止（法145）　重要度◎

徴収職員は、搜索、差押え又は差押財産の搬出をする場合において、これらの処分の執行のため支障があると認められるときは、これらの処分をする間は、次に掲げる者を除き、その場所に出入りすることを禁止することができる。

(1) 滞納者

(2) 差押えに係る財産を保管する第三者及び上記２(1)②の搜索を受けた第三者

(3) 上記(1)又は(2)に掲げる者の同居の親族

(4) 滞納者の国税に関する申告、申請その他の事項につき滞納者を代理する権限を有する者

６．搜索調書の作成（法146）　重要度◎

(1) 徴収職員は、搜索したときは、搜索調書を作成し、その謄本を搜索を受けた滞納者又は第三者及びこれらの者以外の立会人に交付しなければならない。

(2) 上記(1)の規定は、差押調書を作成する場合には、適用しない。この場合においては、差押調書の謄本を上記(1)の第三者及び立会人に交付しなければならない。

７．身分証明書の提示等（法147）

重要度○

(1) 徴収職員は、質問、検査、提示若しくは提出の要求若しくは捜索をする場合又は事業者等への協力要請を執行する場合には、その身分を示す証明書を携帯し、関係者の請求があったときは、これを提示しなければならない。
(2) 質問、検査、提示若しくは提出の要求、物件の留置き又は捜索の権限は、犯罪捜査のために認められたものと解してはならない。
(3) 徴収職員が滞納処分のため捜索を行う場合には、令状は必要とされない。

８．事業者等への協力要請（法146の２）

重要度○

徴収職員は、滞納処分に関する調査について必要があるときは、事業者又は官公署に、その調査に関し参考となるべき帳簿書類（電磁的記録を含む）その他の物件の閲覧又は提供その他の協力を求めることができる。

９．質問不答弁等の罪（法188）

重要度○

次のいずれかに該当する場合には、その違反行為をした者は、１年以下の懲役又は50万円以下の罰金に処する。

(1) 徴収職員の滞納処分に関する調査に係る質問検査権の規定による徴収職員の質問に対して答弁をせず、又は偽りの陳述をしたとき。
(2) 上記(1)の規定による検査を拒み、妨げ、又は忌避したとき。
(3) 上記(1)の規定による物件の提示又は提出の要求に対し、正当な理由がなくこれに応じず、又は偽りの記載をした帳簿書類（電磁的記録を含む。）その他の物件（その写しを含む。）を提示し、若しくは提出したとき。

テーマ4

換　価・配　当

4－1　換　価　〔ランクB〕

1．換価する財産の範囲等（法89、法73⑤）　重要度○

(1) 差押財産（第三債務者から取り立てた金銭以外の財産で差し押えたものを含む。）又は特定参加差押不動産（以下、「差押財産等」という）は、次に掲げるものを除き、これを売却して金銭に換えなければならない。

① 金銭

② 債権（ただし、その全部又は一部の弁済期限が、取立てをしようとする時から6月以内に到来しないもの及び取立てをすることが著しく困難であると認められるものは換価することができる。）

③ 有価証券のうち、その証券に係る金銭債権の取立てをするもの

④ 無体財産権等のうち取立てをするもの

(2) 税務署長は、相互の利用上差押財産等を他の差押財産等（滞納者を異にするものを含む。）と一括して同一の買受人に買い受けさせることが相当であると認めるときは、これらの差押財産等を一括して公売に付し、又は随意契約により売却することができる。

2．参加差押えをした税務署長による換価（法89の2）　重要度○

(1) 参加差押えをした税務署長は、その参加差押不動産が換価の催告権の規定による催告をしてもなお換価に付されないときは、滞納処分をした行政機関等の同意を得て、参加差押不動産につき換価の執行をする旨の決定（以下「換価執行決定」という。）をすることができる。ただし、参加差押不動産につき強制執行若しくは担保権の実行としての競売が開始されているとき等は、この限りでない。

(2) 上記（1）の滞納処分をした行政機関等は、参加差押えをした税務署長による換価の執行に係る同意の求めがあった場合において、その換価の執行を相当と認めるときは、これに同意するものとする。ただし、滞納処分による差押えに係る不動産につき既に他の参加差押えをした行政機関等による換価の執行に係る同意をしているときは、この限りでない。

(3) 換価執行決定は、上記（1）の参加差押えをした税務署長による換価の執行に係る同意をした行政機関等（以下「換価同意行政機関等」という。）に告知することによってその効力を生ずる。

(4) 換価執行決定をした税務署長（以下「換価執行税務署長」という。）は、速やかに、その旨を滞納者及び換価執行決定をした参加差押不動産（以下「特定参加差押不動産」という。）につき交付要求をした者に通知しなければならない。

３．換価執行決定の取消し（法89の3）

重要度○

(1) 換価執行税務署長は、以下のいずれかに該当するときは、換価執行決定を取消さなければならない。

① 換価執行決定に係る参加差押え（以下「特定参加差押え」という。）を解除したとき。

② 換価同意行政機関等の滞納処分による差押え（以下「特定差押え」という）が解除されたとき。

③ 特定参加差押不動産の価額が特定参加差押えに係る滞納処分費及び特定参加差押えに係る国税に先立つ他の国税、地方税その他の債権の合計額を超える見込みがなくなったとき。

④ その他政令で定めるとき。

(2) 換価執行税務署長は、以下のいずれかに該当するときは、換価執行決定を取り消すことができる。

① 特定参加差押えに係る国税の一部の納付、充当、更正の一部の取消し、特定参加差押不動産の価額の増加その他の理由により、その価額が特定参加差押えに係る国税及びこれに先立つ他の国税、地方税その他の債権の合計額を著しく超過すると認められるに至ったとき。

② 滞納者が他に差し押さえることができる適当な財産を提供した場合において、その財産を差し押さえたとき。

③ 特定参加差押不動産について３回公売に付しても入札等がなかった場合において、その特定参加差押不動産の形状、用途、法令による利用の規制その他の事情を考慮して、更に公売に付しても買受人がないと認められ、且つ、随意契約による売却の見込みがないと認められるとき。

④ その他政令で定めるとき。

(3) 上記（1）及び（2）により換価執行決定を取り消した税務署長は、速やかに、その旨を滞納者、換価同意行政機関等及び特定参加差押不動産につき交付要求をした者に通知しなければならない。

(4) 特定参加差押不動産については、換価同意行政機関等が行う公売その他滞納処分による売却のための手続は、上記（1）及び（2）により換価執行決定が取り消された後でなければ、することができない。

4．換価執行決定の取消しをした税務署長による換価の続行（法89の4）

重要度○

特定差押えが解除された場合において、換価執行決定を取り消さなければならない参加差押えにつき、参加差押えの効力の規定により差押えの効力が生ずるときは、当該換価執行決定の取消しをした税務署長は、当該換価執行決定に基づき行った換価手続を当該差押えによる換価手続とみなして、当該差押えに係る不動産（以下「差押不動産」という。）につき換価を続行することができる。

なお、差押不動産につき強制執行又は担保権の実行としての競売が開始されている場合等を除く。

5．随意契約による売却（法109）

重要度△

次のいずれかに該当するときは、税務署長は、差押財産等を、公売に代えて、随意契約により売却することができる。

(1) 法令の規定により、公売財産を買い受けることができる者が一人であるとき、その財産の最高価額が定められている場合において、その価額により売却するとき、その他公売に付することが公益上適当でないと認められるとき。

(2) 取引所の相場がある財産をその日の相場で売却するとき。

(3) 公売に付しても入札等がないとき、入札等の価額が見積価額に達しないとき、又は売却決定を取り消したとき。

6．国による買入れ（法110）

重要度△

国は、公売に付しても入札等がないとき等に該当する場合において、必要があるときは、その直前の公売における見積価額でその財産を買い入れることができる。

７．公　売

重要度△

(1) 公　売（法94）

① 税務署長は、差押財産等を換価するときは、これを公売に付さなければならない。

② 公売は、入札又は競り売りの方法により行わなければならない。

(2) 公売公告（法95）

① 税務署長は、差押財産等を公売に付するときは、公売の日の少なくとも10日前までに公売財産の名称、数量、性質及び所在、その他一定の事項を公告しなければならない。

② この公告は、税務署の掲示場その他税務署内の公衆の見やすい場所に掲示して行う。ただし、他の適当な場所に掲示する方法、官報などに掲げる方法その他の方法を併せて用いることを妨げない。

(3) 公売の通知（法96）

① 税務署長は、公売公告をしたときは、公告をした事項及び公売に係る国税の額を、滞納者及び次に掲げる者のうち知れている者に通知しなければならない。

イ　公売財産につき交付要求をした者

ロ　公売財産上に質権、抵当権、先取特権、留置権、地上権、賃借権その他の権利を有する者

ハ　換価同意行政機関等

② 税務署長は、①の通知をするときは、公売財産の売却代金から配当を受けることができる者のうち知れている者に対し、その配当を受けることができる国税、地方税その他の債権につき債権現在額申立書をその財産の売却決定をする日の前日までに提出すべき旨の催告をあわせてしなければならない。

(4) 公売の場所（法97）

公売は、公売財産の所在する市町村（特別区を含む。）において行うものとする。ただし、税務署長が必要と認めるときは、他の場所で行うことができる。

(5) 見積価額の決定及び公告（法98）

① 見積価額の決定（法98）

イ　税務署長は、近傍類似又は同種の財産の取引価格、公売財産から生ずべき収益、公売財産の原価その他の公売財産の価格形成上の事情を適切に勘案して、公売財産の見積価額を決定しなければならない。この場合において、税務署長は、差押財産等を公売するための見積価額の決定であることを考慮しなければならない。

ロ　税務署長は、上記イの規定により見積価額を決定する場合において、必要と認めるときは、鑑定人にその評価を委託し、その評価額を参考とすることができる。

②　見積価額の公告（法99）

税務署長は、差押財産等を公売に付するときは、財産の態様に従い、それぞれ所定の日までに見積価額を公告しなければならない。

なお、見積価額を公告する場合において、その公売財産上に賃借権（不動産又は船舶に係るものに限る。）又は地上権があるときは、あわせてその存続期限、借賃又は地代その他これらの権利の内容を公告しなければならない。

イ　不動産、船舶及び航空機については公売の日から３日前の日まで。

ロ　せり売りの方法又は複数落札入札制の方法により公売する財産（上記イに掲げる財産を除く。）については、公売の日の前日（その財産が不相応の保存費を要し、又はその価額を著しく減少するおそれがあると認めるときは、公売の日）まで。

ハ　上記イ及びロに掲げる財産以外の財産で税務署長が公告を必要と認めるものについては、公売の日の前日まで。

(6) 公売保証金（法100①、令42の２）

①　公売保証金を納付させる場合（法100①、令42の２）

公売財産の入札等をしようとする者（以下「入札者等」という。）は、税務署長が、公売財産の見積価額の100分の10以上の額により定める公売保証金を次のいずれかの方法により提供しなければならない。

ただし、税務署長は、公売財産の見積価額が50万円以下である場合又は買受代金を売却決定の日に納付させるときは、公売保証金の提供を要しないものとすることができる。

イ　現金で納付する方法

ロ　入札者等と保証銀行等との間において、その入札者等に係る公売保証金に相当する現金を税務署長の催告によりその保証銀行等が納付する旨の契約が締結されたことを証する書面を税務署長に提出する方法

②　入札等への参加（法100②）

入札者等は、原則として、公売保証金を提供した後でなければ、入札等をすることができない。

③　買受代金への充当等（法100③～⑤）

イ　公売財産の買受人は、①イに掲げる方法により提供した公売保証金がある場合には、その公売保証金を買受代金に充てることができる。ただし、買受代金の不納付により売却決定が取り消されたときは、その公売保証金

をその公売に係る国税に充て、なお残余があるときは、これを滞納者に交付しなければならない。

ロ　税務署長は、①ロに掲げる方法により公売保証金を提供した入札者等に対して買受代金の不納付による売却決定の取り消しの処分をした場合には、その入札者等に係る保証銀行等にその公売保証金に相当する現金を納付させるものとする。この場合において、その保証銀行等が納付した現金は、その処分を受けた者が現金で納付する方法により提供した公売保証金とみなして、上記③イただし書の規定を適用する。

④　公売保証金の返還（法100⑥）

税務署長は、最高価申込者等を定めた場合において、他の入札者等の提供した公売保証金があるときその他一定の場合には、遅滞なく、その公売保証金をその提供した者に返還しなければならない。

(7)　入札及び開札（法101、102）

①　入札及び開札

入札しようとする者は、その住所又は居所、氏名、公売財産の名称、入札価額その他必要な事項を記載した入札書に封をして、これを徴収職員に差し出さなければならない。

この場合において、電子情報処理組織を使用して入札がされる場合には、入札書に封することに相当する措置をもって封をすることに代えることができる。入札者は、その提出した入札書の引換、変更又は取消をすることができない。

開札をするときは、徴収職員は原則として入札者を開札に立ち会わせなければならない。

②　再度入札

税務署長は、入札の方法により差押財産等を公売する場合において、入札者がないとき、又は入札価額が見積価額に達しないときは、直ちに再度入札をすることができる。

(8)　競り売り（法103）

競り売りの方法により差押財産等を公売するときは、徴収職員は、その財産を指定して買受けの申込みを催告しなければならない。

(9)　最高価申込者の決定（法104①②）

①　最高価申込者の決定（法104①②）

徴収職員は、公売の結果、見積価額以上の入札者または競り売りの買受申込者のうち最高価の者を、最高価申込者として決定しなければならない。

この場合において、最高の価額の入札者等が２人以上あるときは、更に入札等をさせて定め、なおその入札等の価額が同じときは、くじで定める。

② 複数落札入札制による最高価申込者の決定（法105）

税務署長は、種類及び価額が同じ財産を一時に多量に入札の方法により公売する場合において、必要があると認めるときは、その財産の数量の範囲内において入札をしようとする者の希望する数量及び単価を入札させ、見積価額以上の単価の入札者のうち、入札価額の高い入札者から順次その財産の数量に達するまでの入札者を最高価申込者とする方法（「複数落札入札制」という。）によることができる。この場合において、最高価申込者となるべき最後の順位の入札者が２人以上あるときは、入札数量の多いものを先順位の入札者とし、入札数量が同じときは、くじで先順位の入札者を定める。

(10) 次順位買受申込者の決定（法104の2①～③）

① 次のすべての要件に該当するときは、徴収職員は、その者を次順位買受申込者として定めなければならない。

イ 入札の方法により不動産、船舶、航空機、自動車、建設機械、小型船舶、債権又は電話加入権以外の無体財産権等の公売をしたこと。

ロ 最高入札価額に次ぐ高い価額（見積価額以上で、かつ、最高入札価額から公売保証金の額を控除した金額以上であるものに限る。）による入札者から次順位による買受けの申込みがあること。

② 上記①の次順位による買受けの申込みは、最高価申込者の決定後直ちにしなければならない。

③ 上記①の場合において、最高入札価額に次ぐ高い価額による入札者が２人以上あるときは、くじで定める。

④ 最高の価額の入札者が２人以上あり、くじで最高価申込者を定めた場合には、当該最高価申込者以外の最高の価額の入札者が、最高入札価額に次ぐ高い価額による入札者になる。

(11) 入札又は競り売りの終了の告知等（法106①）

徴収職員は、最高価申込者及び次順位買受申込者を定めたときは、直ちにその氏名及び価額を告げた後、入札又は競り売りの終了の告知をしなければならない。

(12) 売却決定

① 動産等の売却決定（法111）

税務署長は、動産、有価証券又は電話加入権を換価に付するときは、公売期日等において、最高価申込者に対して売却決定を行う。

② 不動産等の売却決定（法113①）

イ　税務署長は、不動産、船舶、航空機、自動車、建設機械、小型船舶、債権又は電話加入権以外の無体財産権等（以下「不動産等」という。）を換価に付するときは、公売期日等から起算して７日を経過した日（不動産を換価に付するときは、「調査の嘱託など」の規定による調査に通常要する日数を勘案して財務省令で定める日。以下「売却決定期日」という。）において、最高価申込者に対して売却決定を行う。

ロ　税務署長は、不動産を換価するときは、最高価申込者等が暴力団員等に該当するか否かの調査の嘱託に係る調査に通常要する日数を勘案して、以下の１に掲げる日から２に掲げる日までの期間内で税務署長が指定する日において売却決定を行う。

１　公売期日等から起算して７日を経過した日

２　公売期日等から起算して21日を経過した日

③ 次順位買受申込者に対する売却決定（法113②）

次順位買受申込者を定めている場合において、次に掲げる場合のいずれかに該当するときは、税務署長は、それぞれに定める日において次順位買受申込者に対して売却決定を行う。

イ　税務署長が公売実施の適正化のための措置により最高価申込者に係る決定の取消しをした場合。

……当該最高価申込者に係る売却決定期日

ロ　最高価申込者が不服申立てに係る換価の制限その他の滞納処分の続行の停止により入札の取消しをした場合。

……当該入札に係る売却決定期日

ハ　最高価申込者である買受人が上記ロの滞納処分の続行の停止により買受けの取消しをした場合。

……当該取消しをした日

ニ　税務署長が買受代金の不納付により最高価申込者である買受人に係る売却決定の取消しをした場合。

……当該取消しをした日

④ 買受代金の納付の期限（法115①～③）

イ　換価財産の買受代金の納付の期限は、売却決定の日（買受人が次順位買受申込者である場合にあっては同日から起算して７日を経過した日）とする。

ロ　税務署長は、必要があると認めるときは、上記イの期限を30日を超えない期間に限って延長することができる。

ハ　買受人は、買受代金をイの期限までに現金で納付しなければならない。

⑤　買受代金の納付の効果（法116①②）

イ　買受人は、買受代金を納付した時に換価財産を取得する。

ロ　徴収職員が買受代金を受領したときは、その限度において、滞納者から換価に係る国税を徴収したものとみなす。

(13) 売却決定が取り消される場合

①　売却決定が取り消される場合

イ　買受申込み等の取消し（法114）

換価財産について最高価申込者等の決定又は売却決定をした場合において、不服申立てがあつた場合の処分の制限等の規定に基づき滞納処分の続行の停止があったときは、その停止している間は、その最高価申込者等又は買受人は、その入札等又は買受けを取り消すことができる。

ロ　国税等の完納による売却決定の取消し（法117）

換価財産に係る国税（特定参加差押不動産を換価する場合にあっては、特定参加差押えに係る国税又は換価同意行政機関等の滞納処分による差押えに係る国税、地方税若しくは公課）の完納の事実が買受人の買受代金の納付前に証明されたときは、売却決定を取り消さなければならない。

ハ　買受代金の納付の期限等（法115④）

税務署長は、買受人が買受代金を納付の期限までに納付しないときは、その売却決定を取り消すことができる。

ニ　公売実施の適正化のための措置（法108①②）

買受人について、公売への参加制限に該当する行為があったときは、最高価申込者の決定を取り消すことができ、これを取り消した場合においては、売却決定も取り消さなければならない。

ホ　その他一定の場合

上記イからニまでに掲げるほか、徴収手段に違法な処分があったとき。

②　売却決定の取り消しに伴う措置

イ　換価財産が動産等で買受人が善意である場合（法112）

換価をした動産又は有価証券に係る売却決定の取消しは、これをもつて買受代金を納付した善意の買受人に対抗することができない。

この場合において、損害が生じた者があるときは、その生じたことについてその者に故意又は過失がある場合を除き、国は、その通常生ずべき損失の額を賠償する責めに任じ、他に損失の原因について責めに任ずべき者があるときは、国は、その者に対し求償権を行使することができる。

ロ　換価代金等の買受人への返還等（法135）

売却決定を取り消したときは、税務署長は、換価代金等を買受人に返還しなければならず、また、その他一定の手続きを執らなければならない。

(14) 権利移転に伴う手続

① 売却決定通知書の交付（法118）

税務署長は、換価財産（有価証券を除く。）の買受人がその買受代金を納付したときは、売却決定通知書を買受人に交付しなければならない。ただし、動産については、その交付をしないことができる。

② 動産等の権利移転手続（法119）

税務署長は、換価財産が動産、有価証券又は自動車、建設機械若しくは小型船舶である場合には、次に掲げる場合の区分に応じ、それぞれに掲げる権利移転手続をとる。

イ　その財産を徴収職員が占有している場合

……その財産を買受人に引き渡さなければならない。

ロ　その財産を滞納者又は第三者に保管させている場合

……売却決定通知書を買受人に交付する方法によりその財産の引渡をすることができる。この場合において、その引渡をした税務署長は、その旨を滞納者又は第三者に通知しなければならない。

③ 有価証券の権利移転手続（法120）

イ　税務署長は、換価した有価証券を買受人に引き渡す場合において、その証券に係る権利の移転につき滞納者に裏書、名義変更又は流通回復の手続をさせる必要があるときは、期限を指定して、これらの手続をさせなければならない。

ロ　税務署長は、上記イの場合において、滞納者がその期限までに上記イの手続をしないときは、滞納者に代ってその手続をすることができる。

④ 債権等の権利移転手続（法122）

イ　税務署長は、換価した債権又は第三債務者等がある無体財産権等の買受人がその買受代金を納付したときは、売却決定通知書を第三債務者等に交付しなければならない。

ロ　上記イの場合において、取り上げた債権証書又は権利証書があるときは、これを買受人に引き渡さなければならない。

⑤ 権利移転の登記の嘱託等（法121、125）

イ　税務署長は、換価財産で権利の移転につき登記を要するものについては、原則として、その買受代金を納付した買受人の請求により、その権利の移転の登記を関係機関に嘱託しなければならない。

ロ　税務署長は、上記イの場合において、換価に伴い消滅する権利に係る登記があるときは、あわせてそのまっ消を関係機関に嘱託しなければならない。

⑥　権利移転に伴う費用の負担（法123）

上記③ロの規定による手続に関する費用及び上記⑤イの規定による嘱託に係る登記の登録免許税その他の費用は、買受人の負担とする。

《参　考》買受人の制限（法92）

滞納者は、原則として換価の目的となった自己の財産を直接であると間接であるとを問わず、買い受けることができない。また、国税庁、国税局、税務署又は税関に所属する職員で国税に関する事務に従事する職員も同様である。

《参　考》暴力団員等に該当しないこと等の陳述（法99の２、189）

1　公売財産（不動産に限る以下「調査の嘱託」及び「公売実施の適正化のための措置」において「公売不動産」という。）の入札等をしようとする者（法人の場合、代表者）は、税務署長に対し、次のいずれにも該当しない旨を財務省令で定めるところにより陳述しなければ、入札等をすることができない。

(1) 公売不動産の入札等をしようとする者（法人の場合、その役員）が暴力団員又は暴力団員でなくなった日から５年を経過しない者（以下「暴力団員等」という。）であること。

(2) 自己の計算において当該公売不動産の入札等をさせようとする者（法人の場合、その役員）が暴力団員等であること。

2　暴力団員等に該当しないこと等の陳述などの規定により陳述すべき事項について虚偽の陳述をした者は、６か月以下の懲役又は50万円以下の罰金に処する。

《参　考》調査の嘱託（法106の２）

1　税務署長は、原則として、公売不動産の最高価申込者等（その者が法人の場合、その役員）が暴力団員等に該当するか否かについて、必要な調査をその税務署の所在地を管轄する都道府県警察に嘱託しなければならない。

2　税務署長は、原則として、自己の計算において最高価申込者等に公売不動産の入札等をさせた者があると認める場合には、当該公売不動動産の入札等をさせた者（その者が法人の場合、その役員）が暴力団員等に該当するか否かについて、必要な調査をその税務署の所在地を管轄する都道府県警察に嘱託しなければならない。

《参　考》公売実施の適正化のための措置（法108）

1　次に掲げる換価処分の執行の妨害等の行為をした者については、その事実があった後2年間公売への参加を制限することができる。

(1) 公売への参加を妨害した者

(2) 不正に連合した者

(3) 正当な理由がなく、買受代金の納付の期限までに、その納付をしない買受人

(4) その他一定の行為をした者

2　上記1の規定に該当する者の入札等又はその者を最高価申込者等とする決定については、税務署長は、その入札等がなかったものとし、又はその決定を取り消すことができるものとする。

3　上記2の場合において、当該処分を受けた者の納付した公売保証金があるときは、その公売保証金は、国庫に帰属する。この場合において、「公売保証金の規定」は適用しない。

4　税務署長は、公売不動産の最高価申込者等又は自己の計算において最高価申込者等に公売不動産の入札等をさせた者が次のいずれかに該当すると認める場合には、これらの最高価申込者等を最高価申込者等とする決定を取り消すことができるものとする。

(1) 暴力団員等（公売不動産の入札等がされた時に暴力団員等であった者を含む。）

(2) 法人でその役員のうちに暴力団員等に該当する者があるもの（公売不動産の入札等がされた時にその役員のうちに暴力団員等に該当する者があったものを含む。）

4−2　換価の効果　〔ランクC〕

1．買受人の換価財産の所有権取得（法116）　重要度△

買受人は、買受代金の納付により換価財産を取得し、徴収職員は、その限度において滞納国税を徴収したものとみなす。この場合における所有権取得の形態は、原始取得ではなく承継取得である。

2．担保権の消滅と引受け（法124①②）　重要度○

(1) 担保権の消滅

換価財産上の次に掲げる担保権等は、その買受人が買受代金を納付した時に消滅する。

① 質権、抵当権、先取特権、留置権

② 担保のための仮登記に係る権利

③ 担保のための仮登記に基づく本登記でその財産の差押え後にされたものに係る権利

④ 譲渡担保権者の物的納税責任の規定により譲渡担保財産に対し滞納処分を執行した場合において、滞納者がした再売買の予約の仮登記により保全される請求権

(2) 担保権の引受け

① 次のすべての要件に該当するときは、税務署長は、その財産上の質権、抵当権又は先取特権（登記がされているものに限る。以下同じ。）に関する負担を買受人に引き受けさせることができる。

イ 不動産、船舶、航空機、自動車又は建設機械を換価すること。

ロ 差押えに係る国税（特定参加差押不動産を換価する場合にあっては、換価同意行政機関等の滞納処分による差押えに係る地方税又は公課を含む。）がその質権、抵当権又は先取特権により担保される債権に次いで徴収するものであるとき。

ハ その質権、抵当権又は先取特権により担保される債権の弁済期限がその財産の売却決定期日から６月以内に到来しないとき。

ニ その質権、抵当権又は先取特権を有する者から申出があったとき。

② 上記①の場合において、その引受けがあった質権、抵当権又は先取特権については、上記(1)の規定は、適用しない。

３．用益物権等の存続

重要度○

差押財産が不動産、船舶等登記を対抗要件又は効力要件とする財産で、その財産上に差押えの登記前に第三者に対抗できる地上権その他の用益物権、買戻し権、賃借権等がある場合には、原則として、これらの用益物権等は換価によっても消滅しない。

４．仮差押等の消滅

重要度○

仮差押又は換価に抵触する仮処分は、換価によって消滅する。

５．差押え後の権利の消滅

重要度○

差押え後に取得した所有権、担保権及び用益物権等は、換価によって消滅する。

６．法定地上権等の設定

重要度○

(1) 法定地上権の設定（法127①）

次のすべての要件に該当するときは、その土地の上にある建物又は立木（以下「建物等」という。）につき、地上権が設定されたものとみなす。

① 土地及び建物等が滞納者の所有に属すること。

② その土地又は建物等の差押えがあったこと。

③ その換価によりこれらの所有者を異にするに至ったこと。

(2) 法定賃借権の設定（法127②）

次のすべての要件に該当するときは、その地上権及びその目的となる土地の上にある建物等につき、地上権の存続期間内において土地の賃貸借をしたものとみなす。

① 地上権及びその目的となる土地の上にある建物等が滞納者の所有に属すること。

② その地上権又は建物等の差押えがあったこと。

③ その換価によりこれらの所有者を異にするに至ったこと。

(3) 存続期間等（法127③）

上記(1)(2)の場合において、その権利の存続期間及び地代は、当事者の請求により裁判所が定める。

７．換価に伴う担保責任

重要度△

競売における担保責任等の規定（民法第568条）は、差押財産等の換価の場合について準用する。

4−3　配　当　〔ランクB〕

1．配当すべき金銭（法128）　重要度○

(1) 税務署長は、次に掲げる金銭を配当しなければならない。

① 差押財産又は特定参加差押不動産（以下「差押財産等」という。）の売却代金

② 有価証券、債権又は無体財産権等の差押えにより第三債務者等から給付を受けた金銭

③ 差し押えた金銭

④ 交付要求により交付を受けた金銭

(2) 換価する財産の範囲等の規定により差押財産等が一括して公売に付され、又は随意契約により、売却された場合において、各差押財産等ごとに上記(1)①に掲げる売却代金の額を定める必要があるときは、その額は、売却代金の総額を各差押財産等の見積価額に応じて按分して得た額とする。各差押財産等ごとの滞納処分費の負担についても、同様とする。

2．配当の原則　重要度○

(1) 換価代金等の配当先（法129①）

上記１(1)①又は②に掲げる金銭（以下「換価代金等」という。）は、次に掲げる国税その他の債権に配当する。

① 差押えに係る国税（特定参加差押不動産の売却代金を配当する場合にあっては、特定参加差押えに係る国税。）

② 交付要求を受けた国税、地方税及び公課（特定参加差押不動産の売却代金を配当する場合にあっては、差押えに係る国税、地方税及び公課を含む。）

③ 差押財産等に係る質権、抵当権、先取特権、留置権又は担保のための仮登記により担保される債権

④ 滞納者の親族その他の特殊関係者以外の第三者が占有している動産又は自動車等の引渡命令に係る損害賠償請求権又は前払借賃に係る債権

(2) 差押金銭等（法129②）

上記１(1)③又は④に掲げる金銭は、それぞれ差押え又は交付要求に係る国税に充てる。

(3) 残余金（法129③）

上記(1)又は(2)により配当した金銭に残余があるときは、その残余の金銭は、滞納者に交付する。

(4) 本税と附帯税の充当順序（法129⑥）

上記(1)又は(2)により国税に配当された金銭を国税（附帯税を除く。以下同じ。）及びその延滞税又は利子税に充てるべきときは、その金銭は、まずその国税に充てなければならない。

３．債権額の確認（法130）　重要度○

(1) 債権現在額申立書の提出（法130①）

交付要求をした国税、地方税又は公課を徴収する者及び差押財産等に係る質権等の被担保債権、引渡命令を受けた第三者等の権利保護の規定による損害賠償請求権又は借賃に係る債権を有する者は、売却決定の日の前日までに債権現在額申立書を税務署長に提出しなければならない。

(2) 債権現在額の確認方法（法130②）

税務署長は、債権現在額申立書を調査して国税その他の債権を確認するものとする。この場合において、次に掲げる債権を有する者が債権現在額申立書を提出しないときは、税務署長の調査によりその額を確認するものとする。

① 登記がされた質権、抵当権若しくは先取特権により担保される債権又は担保のための仮登記により担保される債権

② 登記することができない質権若しくは先取特権又は留置権により担保される債権で知れているもの

③ 引渡命令を受けた第三者等の権利保護の規定による損害賠償請求権又は借賃に係る債権で知れているもの

(3) 登記のない被担保債権の取扱い（法130③）

差押財産等に係る質権、抵当権、先取特権、留置権又は担保のための仮登記の被担保債権のうち、(2)①及び②以外の債権を有する者が売却決定の時までに債権現在額申立書を提出しないときは、その者は、配当を受けることができない。

４．配当計算書（法131、令49）　重要度○

税務署長は、上記２により配当しようとするときは、所定の事項を記載した配当計算書を作成し、換価財産の買受代金の納付の日から３日以内に、次に掲げる者に対する交付のため、その謄本を発送しなければならない。

(1) 債権現在額申立書を提出した者

(2) 債権現在額申立書の提出がないため、税務署長の調査により金額を確認した債権を有する者

(3) 滞納者

5．換価代金等の交付期日の附記（法132①）

重要度△

税務署長は、配当計算書の謄本を交付するときは、その謄本に換価代金等の交付期日を附記して告知しなければならない。この場合の交付期日は、配当計算書の謄本を交付のため発送した日から起算して7日を経過した日としなければならない。ただし、4(1)又は(2)に掲げる者に該当するものがない場合には、その期間は、短縮することができる。

6．換価代金等の交付

重要度△

(1) 配当計算書に基づく交付（法133①）

税務署長は、換価代金等の交付期日に配当計算書に従って換価代金等を交付するものとする。

(2) 配当計算書に基づく異議（法133②）

① 国税、地方税又は公課の配当金額に関する異議

→ 異議が配当計算書に記載された国税、地方税又は公課の配当金額に対するものである場合には、その行政機関からの通知に従って、イ 配当計算書を更正して配当するか、又は ロ 更正しないで直ちに交付する。

② 国税、地方税又は公課の配当金額に関しない異議

→ 異議が配当計算書に記載された国税、地方税又は公課の配当金額を変更させないものである場合には、その異議に関係を有する者及び滞納者がその異議を正当と認めたとき又はその他の方法で合意したときは、配当計算書を更正して交付するものとする。

③ 私債権に関するもので、国税、地方税又は公課の配当金額に影響がある異議

→ イ 異議に関係を有する者及び滞納者がその異議を正当と認めたとき、又はその他の方法で合意したときは、配当計算書を更正して交付する。

ロ 上記イの合意がなかったときは、その異議を参酌して配当計算書を更正して交付する。

ハ 異議につき相当な理由がないと認めるときは、直ちに国税、地方税又は公課の金額を交付するものとする。

《参　考》換価代金等の交付(法133③～⑩)

1　税務署長は、「配当計算書に基づく異議」の規定により、換価代金等を交付することができない場合、換価代金等を配当すべき債権が停止条件付である場合又は換価代金等を配当すべき債権が仮登記がされた質権、抵当権等により担保される債権である場合には、換価代金等を供託しなければならない。

この場合(「配当計算書に基づく異議」の規定により、換価代金等を交付することができない場合に限る。)において、税務署長は、その旨を異議に関係を有する者に通知しなければならない。

2　上記1の場合において、確定判決、異議に関係を有する者の全員の同意その他の理由により換価代金等の交付を受けるべき者及び金額が明らかになったときは、これに従って配当しなければならない。

この場合において、税務署長は、その配当を受けるべき者に配当額支払証を交付するとともに、上記1の規定により供託した供託所に支払委託書を送付しなければならない。

3　上記2の規定による配当を受けるべき者に対する供託所の支払は、上記2の支払委託書に基づき行うものとする。

4　上記1の規定による供託がされた場合における当該供託に係る債権者は、その供託の事由が消滅したときは、直ちに、その旨を税務署長に届け出なければならない。

5　税務署長は、上記1の規定による供託がされた場合において、その供託がされた日から上記4の規定による届出がされることなく2年を経過したときは、当該供託に係る債権者に対し、その供託に係る供託の事由が消滅しているときは上記4の規定による届出をし、又はその供託に係る供託の事由が消滅していないときはその旨の届出をすべき旨を催告しなければならない。

6　上記5の規定による催告を受けた当該供託に係る債権者が、催告を受けた日から14日以内に上記4の規定による届出又は上記5の供託の事由が消滅していない旨の届出をしないときは、税務署長は、当該供託に係る債権者を除外して上記2の規定により供託金について換価代金等の配当を実施する旨の決定をすることができる。

7　上記６の決定は、原則として、当該供託に係る債権者が当該決定の告知を受けた日から７日を経過した日にその効力が生ずる。

8　当該供託に係る債権者が上記５に規定する期間を経過する前に税務署長にその供託に係る供託の事由が消滅していない旨の届出をしたときは、上記５の規定の適用については、上記５の供託の事由が消滅していない旨の届出があったものとみなす。

《参　考》滞納処分費の配当等の順位（法137）

滞納処分費については、その徴収の基因となった国税に先立って配当し、又は充当する。

テーマ5

徴収緩和制度

5－1　災害等による納税の猶予　〔ランクＡ〕

1．要　件（国通法46①）　重要度◎

税務署長等は、次のすべての要件に該当するときは、下記２に掲げる国税の全部又は一部について納税の猶予をすることができる。

(1) 震災、風水害、落雷、火災その他これらに類する災害により納税者がその財産につき相当な損失を受けたこと。

(2) 上記(1)の災害のやんだ日から２月以内に納税者から納税の猶予の申請がされたこと。

2．猶予の対象となる国税（国通法46①一・二・三、国通令14②）　重要度◎

上記１の納税の猶予の対象となる国税は、その納税者がその損失を受けた日以後１年以内に納付すべき国税で次に掲げるものとする。

(1) その災害のやんだ日（源泉徴収による国税その他一定の国税については、その災害のやんだ日の属する月の末日）以前に納税義務の成立した国税（消費税等を除く。）で 、その納期限がその損失を受けた日以後に到来するもののうち、その申請の日以前に納付すべき税額の確定したもの

(2) その災害のやんだ日以前に課税期間が経過した課税資産の譲渡等に係る消費税で、その納期限がその損失を受けた日以後に到来するもののうち、その申請の日以前に納付すべき税額の確定したもの

(3) 予定納税に係る所得税、中間申告の法人税及び消費税で、その納期限がその損失を受けた日以後に到来するもの

3．納税者の手続（国通法46①、46の2、国通令15の2）　重要度◎

(1) 納税の猶予を受けようとする者は、その災害のやんだ日から２月以内に申請書を税務署長等に提出しなければならない。

(2) 納税の猶予の申請をしようとする者は、災害によりその者がその財産につき相当な損失を受けたことの事実の詳細、その他一定事項を記載した申請書に、当該事実を証するに足りる書類を添付し、これを税務署長等に提出しなければならない。

(3) 添付すべき書類については、納税の猶予をする場合において、当該申請者が当該添付すべき書類を提出することが困難であると税務署長等が認めるときは、添付することを要しない。

(4) 申請書の訂正又は添付すべき書類の訂正若しくは提出を求められた当該申請者は、通知を受けた日の翌日から起算して20日以内に当該申請書の訂正又は当該添付すべき書類の訂正若しくは提出をしなければならない。この場合において、当該期間内に、これらをしなかったときは、当該申請者は、当該期間を経過した日において当該申請を取り下げたものとみなす。

４．税務署長等の手続　重要度◎

(1) 申請に対する手続（国通法46の2）

① 申請書の提出があった場合には、当該申請に係る事項について調査を行い、納税の猶予をし、又はその納税の猶予を認めないものとする。

② 調査をするため必要があると認めるときは、その必要な限度で、その職員に、当該申請者に質問させ、当該物件（その写しを含む。）の提示若しくは提出を求めさせ、又は当該調査において提出された物件を留め置かせることができ、また、これにより、質問、検査又は提示若しくは提出の要求を行う職員は、その身分を示す証明書を携帯し、関係者の請求があったときは、これを提示しなければならない。なお、当該権限は、犯罪捜査のために認められたものと解してはならない。

③ 申請書の提出があった場合において、これらの申請書についてその記載に不備があるとき又は申請書に添付すべき書類についてその記載に不備があるとき若しくはその提出がないときは、当該申請者に対して当該申請書の訂正若しくは提出を求めることができる。この場合においては、その旨及びその理由を記載した書面により、これを当該申請者に通知する。

④ 申請書の提出があった場合において、当該申請者について納税の猶予の規定に該当していると認められるときであっても、以下のいずれかに該当するときは、当該納税の猶予を認めないことができる。

イ　納税の猶予の取消しに掲げる場合に該当するとき。

ロ　当該申請者が、質問に対して答弁をせず、若しくは偽りの答弁をし、検査を拒み、妨げ、若しくは忌避し、又は質問又は検査の規定による物件の提示若しくは提出の要求に対し、正当な理由がなくこれに応じず、若しくは偽りの記載若しくは記録をした帳簿書類その他の物件（その写しを含む。）を提示し、若しくは提出したとき。

ハ　不当な目的で当該納税の猶予の申請がされたとき、その他その申請が誠実にされたものでないとき。

(2) 通　知（国通法47）

① 税務署長等は、納税の猶予をしたときは、その旨その他必要な事項を納税者に通知しなければならない。

② 税務署長等は、納税の猶予の申請がされた場合において、納税の猶予を認めないときは、その旨を納税者に通知しなければならない。

５．猶予期間（国通法46①、国通令13②）　重要度○

猶予期間は、原則として猶予に係る国税の納期限から１年以内の期間（上記２(3)に掲げる国税については、確定申告期限までの期間）に限られる。

６．効　果　重要度○

(1) 滞納処分等の禁止（国通法48①）

税務署長等は、納税の猶予をしたときは、その猶予期間内は、その猶予に係る金額に相当する国税につき、新たに督促及び滞納処分（交付要求を除く。）をすることができない。

(2) 差押の解除（国通法48②）

税務署長等は、納税の猶予をした場合において、その猶予に係る国税につき既に滞納処分により差し押えた財産があるときは、その猶予を受けた者の申請に基づき、その差押えを解除することができる。

(3) 果実等の換価・充当（国通法48③④）

税務署長等は、納税の猶予をした場合において、その猶予に係る国税につき差し押えた財産のうちに天然果実を生ずるもの又は有価証券、債権若しくは無体財産権等があるときは、上記(1)にかかわらず、次のように取り扱う。

① 取得し又は給付を受けた財産が金銭以外の財産であるときは、滞納処分を執行し、その換価代金等をその猶予に係る国税に充てることができる。

② 給付を受けた財産が金銭であるときは、その金銭を直ちにその猶予に係る国税に充てることができる。

(4) 時効の完成猶予及び更新（国通法73④）

納税の猶予の申請があった場合には、消滅時効は更新する。納税の猶予がされた場合には、猶予期間中は、その申請に係る国税の徴収権の消滅時効は完成せず（完成猶予）、その猶予期間を経過した時から新たにその進行を始める（更新する）。

(5) 延滞税の免除（国通法63①③）

納税の猶予をした国税に係る延滞税のうち、原則としてその猶予期間に対応する部分の金額相当額は、免除する。

(6) 納付委託（国通法55）

納税の猶予に係る国税については、一定の要件に該当するときは、納付委託をすることができる。

7．取消し又は猶予期間の短縮

重要度○

(1) 要　件（国通法49①）

納税の猶予を受けた者が次のいずれかに該当する場合には、税務署長等は、その猶予を取り消し、又は猶予期間を短縮することができる。

① 繰上請求に該当する事実がある場合において、その者がその猶予に係る国税を猶予期間内に完納することができないと認められるとき。

② 新たにその猶予に係る国税以外の国税を滞納したとき（税務署長等がやむを得ない理由があると認めるときを除く）

③ 偽りその他不正な手段によりその猶予の申請がされ、その申請に基づきその猶予をしたことが判明したとき

④ 上記に掲げる場合を除き、その者の財産の状況その他の事情の変化によりその猶予を継続することが適当でないと認められるとき。

(2) 手　続

① 弁明の機会の供与（国通法49②）

税務署長等は、納税の猶予を取り消し、又は猶予期間を短縮する場合には、繰上請求に該当する事実があるときを除き、あらかじめ、その猶予を受けた者の弁明を聞かなければならない。

ただし、その者が正当な理由がなくその弁明をしないときは、この限りでない。

② 通　知（国通法49③）

税務署長等は、納税の猶予を取り消し、又は猶予期間を短縮したときは、その旨を納税者に通知しなければならない。

(3) 取消しの効果

納税の猶予の取消しは、将来に向かってのみその効果を生ずるものであり、猶予の始期に遡るものではない。したがって、納税の猶予期間についての猶予の効果には、影響を及ぼさない。

また、納税の猶予の取消しにより、滞納処分等が開始されることになる。

《参　考》災害等による期限の延長（国通法11）

国税庁長官、国税不服審判所長、国税局長、税務署長又は税関長は、災害その他やむを得ない理由により、国税に関する法律に基づく申告、申請、請求、届出その他書類の提出、納付又は徴収に関する期限までにこれらの行為をすることができないと認めるときは、政令で定めるところにより、その理由が止んだ日から２月以内に限り、当該期限を延長することができる。

(MEMO)

5－2　通常の納税の猶予　〔ランクＡ〕

１．要　件（国通法46②⑤）　重要度◎

税務署長等は、次のすべての要件に該当するときは、国税のうちその納付することができないと認められる金額を限度として、納税の猶予をすることができる。

(1) 国税通則法第46条１項の納税の猶予を受ける場合でないこと。

(2) 次のいずれかに該当する事実があること。

① 納税者がその財産につき、震災、風水害、落雷、火災その他の災害を受け、又は盗難にかかったこと。

② 納税者又はその者と生計を一にする親族が病気にかかり、又は負傷したこと。

③ 納税者がその事業を廃止し、又は休止したこと。

④ 納税者がその事業につき著しい損失を受けたこと。

⑤ 上記①から④までに掲げる事実に類する事実があったこと。

(3) 上記(2)の事実に基づき、納税者がその国税を一時に納付することができないと認められること。

(4) 納税者から納税の猶予の申請がされたこと。

(5) 税務署長等が担保の徴取を必要と認めた場合において、担保の提供があったこと。

２．納税者の手続（国通法46の2、国通令15の2）　重要度◎

(1) 納税の猶予の申請をしようとする者は、上記１(2)のいずれかに該当する事実があること及びその該当する事実に基づきその国税を一時に納付することができない事情の詳細、当該猶予を受けようとする金額及びその期間、分割納付の方法により納付を行うかどうかその他一定事項を記載した申請書に、当該該当する事実を証するに足りる書類、財産目録などを添付し、これを税務署長等に提出しなければならない。

また、猶予期間の延長を申請しようとする者は、猶予期間内にその猶予を受けた金額を納付することができないやむを得ない理由などを記載した申請書に、財産目録などを添付し、これを税務署長等に提出しなければならない。

(2) 納税の猶予の申請又は猶予期間の延長の申請の規定により添付すべき書類については、上記**１**(2)①②又は⑤により納税の猶予又はその猶予期間の延長をする場合において、当該申請者が当該添付すべき書類を提出することが困難であると税務署長等が認めるときは、添付することを要しない。

(3) 申請書の訂正又は添付すべき書類の訂正若しくは提出を求められた当該申請者は、通知を受けた日の翌日から起算して20日以内に当該申請書の訂正又は当該添付すべき書類の訂正若しくは提出をしなければならない。この場合において、当該期間内に、これらをしなかったときは、当該申請者は、当該期間を経過した日において当該申請を取り下げたものとみなす。

３．税務署長等の手続

重要度◎

(1) 申請に対する手続（国通法46の２）

① 申請書の提出又は猶予期間の延長の申請書の提出があった場合には、当該申請に係る事項について調査を行い、納税の猶予をし、又はその納税の猶予若しくはその猶予の延長を認めないものとする。

② 調査をするため必要があると認めるときは、その必要な限度で、その職員に、当該申請者に質問させ、当該物件（その写しを含む。）の提示若しくは提出を求めさせ、又は当該調査において提出された物件を留め置かせることができ、また、これにより、質問、検査又は提示若しくは提出の要求を行う職員は、その身分を示す証明書を携帯し、関係者の請求があったときは、これを提示しなければならない。なお、当該権限は、犯罪捜査のために認められたものと解してはならない。

③ 申請書の提出又は猶予期間の延長の申請書の提出があった場合において、これらの申請書についてその記載に不備があるとき又は申請書に添付すべき書類についてその記載に不備があるとき若しくはその提出がないときは、当該申請者に対して当該申請書の訂正若しくは提出を求めることができる。この場合においては、その旨及びその理由を記載した書面により、これを当該申請者に通知する。

④ 申請書の提出又は猶予期間の延長の申請書の提出があった場合において、当該申請者について納税の猶予の規定又は猶予期間の延長の規定に該当していると認められるときであっても、以下のいずれかに該当するときは、当該納税の猶予又は延長を認めないことができる。

イ　納税の猶予の取消しに掲げる場合に該当するとき。

ロ　当該申請者が、質問に対して答弁をせず、若しくは偽りの答弁をし、検査を拒み、妨げ、若しくは忌避し、又は質問又は検査の規定による物件の提示若しくは提出の要求に対し、正当な理由がなくこれに応じず、若しくは偽りの記載若しくは記録をした帳簿書類その他の物件（その写しを含む。）を提示し、若しくは提出したとき。

ハ　不当な目的で当該納税の猶予又は猶予期間の延長の申請がされたとき、その他その申請が誠実にされたものでないとき。

(2) 通　知（国通法47）

①　納税の猶予をし、又はその猶予の期間を延長したとき（分割納付の各納付期限及びその納付金額を変更したときを含む。）は、その旨、猶予に係る金額、猶予期間、分割納付の各納付期限及びその納付金額（変更後のものを含む。）を納税者に通知しなければならない。

②　納税の猶予の申請又はその猶予の期間の延長の申請書の提出があった場合において、納税の猶予又はその猶予の延長を認めないときは、その旨を納税者に通知しなければならない。

４．猶予期間（国通法46②④⑦）　重要度○

(1) 猶予期間は、原則として猶予を始める日から起算して１年以内の期間に限られる。この場合において、納税者の将来における納付能力に応じ、猶予金額を月別などに適宜分割して、それぞれの分割した金額ごとに猶予期間を定めることができる。

(2) 上記(1)の場合において、猶予期間内に止むを得ない理由により猶予金額を納付できないと認められるときは、納税者の申請により猶予期間を延長することができる。ただし、延長できる期間は、既に認めた猶予期間を合わせて2年を超えることができない。

５．担保の徴取　重要度○

(1) 担保を徴する場合（国通法46⑤）

税務署長等は、納税の猶予をする場合には、その猶予に係る金額に相当する担保を徴さなければならない。ただし、その猶予に係る税額が100万円以下である場合、その猶予期間が３月以内である場合又は担保を徴することができない特別の事情がある場合は、この限りでない。

(2) 担保の価額の範囲（国通法46⑥、55④）

①　税務署長等は、担保を徴する場合において、その猶予に係る国税につき滞納処分により差し押えた財産があるときは、その担保の額は、その猶予をす

郵便はがき

料金受取人払郵便

神田局
承認

5767

差出有効期間
2026年7月31
日まで

切手不要

101-8739

108

東京都千代田区神田三崎町3-2-18

資格の学校TAC

カスタマーセンター

資料請求係 行

このハガキで「最新資料」の資料請求ができます

住所	□□□-□□□□ 都道府県		
名前	フリガナ	電話番号 ( )	
E-mail	@ ※メールで資格や講座に関する情報を希望される方はご記入ください。	性別 男・女	生年月日（西暦） 年 月 日
職業	19.会社員 50.学生 90.その他（ ）		

ご希望の項目に✓印をご記入ください。	□ TAC税理士講座案内 資料請求
現在の学習状況について該当する項目に✓印をご記入ください。	□ TACで学習している
	□ 独学で学習している
	□ 他のスクールで学習している

※必要事項を記入のうえ、ご投函ください。

2025年版 TAC出版

る金額からその財産の価額を控除した額を限度とする。

② 納付委託があった場合において、担保の提供の必要がないと認められるに至ったときは、その認められる限度においてその担保の提供があったものとすることができる。

６．効　果

重要度○

(1) 滞納処分等の禁止（国通法48①）

税務署長等は、納税の猶予をしたときは、その猶予期間内は、その猶予に係る金額に相当する国税につき、新たに督促及び滞納処分（交付要求を除く。）をすることができない。

(2) 差押えの解除（国通法48②）

税務署長等は、納税の猶予をした場合において、その猶予に係る国税につき既に滞納処分により差し押えた財産があるときは、その猶予を受けた者の申請に基づき、その差押えを解除することができる。

(3) 果実等の換価・充当（国通法48③④）

税務署長等は、納税の猶予をした場合において、その猶予に係る国税につき差し押えた財産のうちに天然果実を生ずるもの又は有価証券、債権若しくは無体財産権等があるときは、上記(1)にかかわらず、次のように取り扱う。

① 取得し又は給付を受けた財産が金銭以外の財産であるときは、滞納処分を執行し、その換価代金等をその猶予に係る国税に充てることができる。

② 給付を受けた財産が金銭であるときは、その金銭を直ちにその猶予に係る国税に充てることができる。

(4) 時効の完成猶予及び更新（国通法73④）

納税の猶予の申請があった場合には、消滅時効は更新する。納税の猶予がされた場合には、猶予期間中は、その申請に係る国税の徴収権の消滅時効は完成せず（完成猶予）、その猶予期間を経過した時から新たにその進行を始める（更新する）。

(5) 延滞税の免除（国通法63①③）

① 上記１(2)の事実に応じ、納税の猶予をした国税に係る延滞税のうち、原則としてその猶予期間に対応する部分の金額相当額又はその２分の１相当額は、免除する。

② 上記①の残りの部分の延滞税について、納税者が一定の要件に該当するときは、その納付が困難と認められるものを限度として、免除することができる。

(6) **納付委託**（国通法55）

納税の猶予に係る国税については、一定の要件に該当するときは、納付委託をすることができる。

7．取消し又は猶予期間の短縮

重要度○

(1) **要　件**（国通法49①）

納税の猶予を受けた者が次のいずれかに該当する場合には、税務署長等は、その猶予を取り消し、又は猶予期間を短縮することができる。

① 繰上請求に該当する事実がある場合において、その者がその猶予に係る国税を猶予期間内に完納することができないと認められるとき。

② 納税の猶予の通知がされた分割納付の各納付期限ごとの納付金額をその納付期限までに納付しないとき（税務署長等がやむを得ない理由があると認めるときを除く。）

③ その猶予に係る国税につき提供された担保について、担保の変更等その他の担保の確保のために必要な税務署長等の命令に応じないとき

④ 新たにその猶予に係る国税以外の国税を滞納したとき（税務署長等が止むを得ない理由があると認めるときを除く）

⑤ 偽りその他不正な手段によりその猶予又は猶予期間の延長の申請がされ、その申請に基づき猶予をし、又は猶予期間の延長をしたことが判明したとき。

⑥ 上記に掲げる場合を除き、その者の財産の状況その他の事情の変化によりその猶予を継続することが適当でないと認められるとき。

(2) **手　続**

① 弁明の機会の供与（国通法49②）

税務署長等は、納税の猶予を取り消し、又は猶予期間を短縮する場合には、繰上請求に該当する事実があるときを除き、あらかじめ、その猶予を受けた者の弁明を聞かなければならない。

ただし、その者が正当な理由がなくその弁明をしないときは、この限りでない。

② 通　知（国通法49③）

税務署長等は、納税の猶予を取り消し、又は猶予期間を短縮したときは、その旨を納税者に通知しなければならない。

(3) **取消しの効果**

納税の猶予の取消しは、将来に向かってのみその効果を生ずるものであり、猶予の始期に遡るものではない。したがって、納税の猶予期間についての猶予の効果には、影響を及ぼさない。

また、納税の猶予の取消しにより、滞納処分等が開始されることとなる。

(MEMO)

5−3　課税遅延に基づく納税の猶予　〔ランクＡ〕

1．要　件（国通法46③⑤）　重要度◎

税務署長等は、次のすべての要件に該当するときは、次の(1)に掲げる国税のうちその納付することができないと認められる金額を限度として、納税の猶予をすることができる。

(1) 次に掲げる国税（延納に係る国税を除く。）の納税者であること。

① 申告納税方式による国税（その附帯税を含む。）については、その法定申告期限から１年を経過した日以後に納付すべき税額が確定した場合におけるその確定した部分の国税

② 賦課課税方式による国税（その延滞税を含み、加算税及び過怠税を除く。）については、その課税標準申告書の提出期限（その申告書の提出を要しない国税については、その納税義務の成立の日）から１年を経過した日以後に納付すべき税額が確定した場合におけるその確定した部分の国税

③ 源泉徴収による国税（その附帯税を含む。）については、その法定納期限から１年を経過した日以後に納税告知書の送達があった場合におけるその告知書に記載された納付すべき国税

(2) 上記(1)に掲げる国税を一時に納付することができない理由があると認められること。

(3) 上記(1)に掲げる国税の納期限内に納税者から納税の猶予の申請（税務署長等においてやむを得ない理由があると認める場合には、その国税の納期限後にされた申請を含む。）がされたこと。

(4) 税務署長等が担保の徴取を必要と認めた場合において、担保の提供があったこと。

2．納税者の手続（国通法46の2、国通令15の2）　重要度◎

(1) 納税の猶予の申請をしようとする者は、上記１(1)に定める税額に相当する国税を一時に納付することができない事情の詳細、当該猶予を受けようとする金額及びその期間、分割納付の方法により納付を行うかどうか、その他一定事項を記載した申請書に、財産目録などを添付し、これを税務署長等に提出しなければならない。

また、猶予期間の延長を申請しようとする者は、猶予期間内にその猶予を受けた金額を納付することができないやむを得ない理由などを記載した申請書に、財産目録などを添付し、これを税務署長等に提出しなければならない。

(2) 申請書の訂正又は添付すべき書類の訂正若しくは提出を求められた当該申請者は、通知を受けた日の翌日から起算して20日以内に当該申請書の訂正又は当該添付すべき書類の訂正若しくは提出をしなければならない。この場合において、当該期間内に、これらをしなかったときは、当該申請者は、当該期間を経過した日において当該申請を取り下げたものとみなす。

３．税務署長等の手続　重要度◎

(1) 申請に対する手続（国通法46の2）

① 申請書の提出又は猶予期間の延長の申請書の提出があった場合には、当該申請に係る事項について調査を行い、納税の猶予をし、又はその納税の猶予若しくはその猶予の延長を認めないものとする。

② 調査をするため必要があると認めるときは、その必要な限度で、その職員に、当該申請者に質問させ、当該物件（その写しを含む。）の提示若しくは提出を求めさせ、又は当該調査において提出された物件を留め置かせることができ、また、これにより、質問、検査又は提示若しくは提出の要求を行う職員は、その身分を示す証明書を携帯し、関係者の請求があったときは、これを提示しなければならない。なお、当該権限は、犯罪捜査のために認められたものと解してはならない。

③ 申請書の提出又は猶予期間の延長の申請書の提出があった場合において、これらの申請書についてその記載に不備があるとき又は申請書に添付すべき書類についてその記載に不備があるとき若しくはその提出がないときは、当該申請者に対して当該申請書の訂正若しくは提出を求めることができる。この場合においては、その旨及びその理由を記載した書面により、これを当該申請者に通知する。

④ 申請書の提出又は猶予期間の延長の申請書の提出があった場合において、当該申請者について納税の猶予の規定又は猶予期間の延長の規定に該当していると認められるときであっても、以下のいずれかに該当するときは、当該納税の猶予又は延長を認めないことができる。

イ　納税の猶予の取消しに掲げる場合に該当するとき。

ロ　当該申請者が、質問に対して答弁をせず、若しくは偽りの答弁をし、検査を拒み、妨げ、若しくは忌避し、又は質問又は検査の規定による物件の提示若しくは提出の要求に対し、正当な理由がなくこれに応じず、若しくは偽りの記載若しくは記録をした帳簿書類その他の物件（その写しを含む。）を提示し、若しくは提出したとき。

ハ　不当な目的で当該納税の猶予又は猶予期間の延長の申請がされたとき、その他その申請が誠実にされたものでないとき。

(2) 通　知（国通法47）

①　納税の猶予をし、又はその猶予の期間を延長したとき（分割納付の各納付期限及びその納付金額を変更したときを含む。）は、その旨、猶予に係る金額、猶予期間、分割納付の各納付期限及びその納付金額（変更後のものを含む。）を納税者に通知しなければならない。

②　納税の猶予の申請又はその猶予の期間の延長の申請書の提出があった場合において、納税の猶予又はその猶予の延長を認めないときは、その旨を納税者に通知しなければならない。

４．猶予期間（国通法46③④⑦）　重要度○

(1) 猶予期間は、原則としてその国税の納期限から１年以内の期間に限られる。この場合において、納税者の将来における納付能力に応じ、猶予金額を月別などに適宜分割して、それぞれの分割した金額ごとに猶予期間を定めることができる。

(2) 上記(1)の場合において、猶予期間内に止むを得ない理由により猶予金額を納付できないと認められるときは、納税者の申請により猶予期間を延長することができる。ただし、延長できる期間は、既に認めた猶予期間を合わせて２年を超えることができない。

５．担保の徴取　重要度○

(1) 担保を徴する場合（国通法46⑤）

税務署長等は、納税の猶予をする場合には、その猶予に係る金額に相当する担保を徴さなければならない。ただし、その猶予に係る税額が100万円以下である場合、その猶予期間が３月以内である場合又は担保を徴することができない特別の事情がある場合は、この限りでない。

(2) 担保の価額の範囲（国通法46⑥、55④）

①　税務署長等は、担保を徴する場合において、その猶予に係る国税につき滞納処分により差し押えた財産があるときは、その担保の額は、その猶予をす

る金額からその財産の価額を控除した額を限度とする。

② 納付委託があった場合において、担保の提供の必要がないと認められるに至ったときは、その認められる限度においてその担保の提供があったものとすることができる。

６．効　果

重要度○

(1) 滞納処分等の禁止（国通法48①）

税務署長等は、納税の猶予をしたときは、その猶予期間内は、その猶予に係る金額に相当する国税につき、新たに督促及び滞納処分（交付要求を除く。）をすることができない。

(2) 差押えの解除（国通法48②）

税務署長等は、納税の猶予をした場合において、その猶予に係る国税につき既に滞納処分により差し押えた財産があるときは、その猶予を受けた者の申請に基づき、その差押えを解除することができる。

(3) 果実等の換価・充当（国通法48③④）

税務署長等は、納税の猶予をした場合において、その猶予に係る国税につき差し押えた財産のうちに天然果実を生ずるもの又は有価証券、債権若しくは無体財産権等があるときは、上記(1)にかかわらず、次のように取り扱う。

① 取得し又は給付を受けた財産が金銭以外の財産であるときは、滞納処分を執行し、その換価代金等をその猶予に係る国税に充てることができる。

② 給付を受けた財産が金銭であるときは、その金銭を直ちにその猶予に係る国税に充てることができる。

(4) 時効の完成猶予及び更新（国通法73④）

納税の猶予の申請があった場合には、消滅時効は更新する。納税の猶予がされた場合には、猶予期間中は、その申請に係る国税の徴収権の消滅時効は完成せず（完成猶予）、その猶予期間を経過した時から新たにその進行を始める（更新する）。

(5) 延滞税の免除（国通法63①③）

① 納税の猶予をした国税に係る延滞税のうち、原則としてその猶予期間に対応する部分の金額の２分の１相当額は、免除する。

② 上記①の残りの部分の延滞税について、納税者が一定の要件に該当するときは、その納付が困難と認められるものを限度として、免除することができる。

(6) 納付委託（国通法55）

納税の猶予に係る国税については、一定の要件に該当するときは、納付委託をすることができる。

7．取消し又は猶予期間の短縮

重要度○

(1) 要　件（国通法49①）

納税の猶予を受けた者が次のいずれかに該当する場合には、税務署長等は、その猶予を取り消し、又は猶予期間を短縮することができる。

① 繰上請求に該当する事実がある場合において、その者がその猶予に係る国税を猶予期間内に完納することができないと認められるとき。

② 納税の猶予の通知がされた分割納付の各納付期限ごとの納付金額をその納付期限までに納付しないとき（税務署長等がやむを得ない理由があると認めるときを除く。）

③ その猶予に係る国税につき提供された担保について、担保の変更等その他の担保の確保のために必要な税務署長等の命令に応じないとき。

④ 新たにその猶予に係る国税以外の国税を滞納したとき（税務署長等がやむを得ない理由があると認めるときを除く。）

⑤ 偽りその他不正な手段によりその猶予又は猶予期間の延長の申請がされ、その申請に基づき猶予をし、又は猶予期間の延長をしたことが判明したとき。

⑥ 上記に掲げる場合を除き、その者の財産の状況その他の事情の変化によりその猶予を継続することが適当でないと認められるとき。

(2) 手　続

① 弁明の機会の供与（国通法49②）

税務署長等は、納税の猶予を取り消し、又は猶予期間を短縮する場合には、繰上請求に該当する事実があるときを除き、あらかじめ、その猶予を受けた者の弁明を聞かなければならない。

ただし、その者が正当な理由がなくその弁明をしないときは、この限りでない。

② 通　知（国通法49③）

税務署長等は、納税の猶予を取り消し、又は猶予期間を短縮したときは、その旨を納税者に通知しなければならない。

(3) 取消しの効果

納税の猶予の取消しは、将来に向かってのみその効果を生ずるものであり、猶予の始期に遡るものではない。したがって、納税の猶予期間についての猶予の効果には、影響を及ぼさない。

また、納税の猶予の取消しにより、滞納処分等が開始されることとなる。

(MEMO)

5−4　換価の猶予　〔ランクＢ〕

1．要　件（法151①、151の2、152）　重要度◎

(1) 職権による場合

税務署長は、次のすべての要件に該当するときは、その納付すべき国税につき滞納処分による財産の換価を猶予することができる。

①　滞納者が納税について誠実な意思を有すると認められること。

②　次のいずれかに該当すると認められること。

イ　その財産の換価を直ちにすることによりその事業の継続又はその生活の維持を困難にするおそれがあること。

ロ　その財産の換価を猶予することが、直ちにその換価をすることに比して、滞納国税及び最近において納付すべきこととなる国税の徴収上有利であること。

③　国税通則法第46条に規定する納税の猶予又は申請による換価の猶予の適用を受けている国税でないこと。

④　税務署長が担保の徴取を必要と認めた場合において、担保の提供があったこと。

(2) 申請による場合

税務署長は、次のすべての要件に該当するときは、その納付すべき国税につき滞納処分による財産の換価を猶予することができる。

①　滞納者が納税について誠実な意思を有すると認められること。

②　滞納者がその国税を一時に納付することによりその事業の継続又はその生活の維持を困難にするおそれがあると認められること。

③　滞納者がその国税の納期限から6か月以内に猶予の申請をしたこと。

④　国税通則法第46条に規定する納税の猶予の適用を受けている国税でないこと。

⑤　税務署長が担保の徴取を必要と認めた場合において、担保の提供があったこと。

ただし、その申請に係る国税以外の国税（猶予の申請中の国税及び一定の猶予中の国税を除く）の滞納がある場合には適用しない。

2．手　続（法151②、151の２、152）　重要度◎

(1) 職権による場合

税務署長は、換価の猶予又は猶予期間の延長をする場合において、必要があると認めるときは、滞納者に対し財産目録等一定の書類又はその猶予に係る金額につき分割して納付させるために必要となる書類の提出を求めることができる。

(2) 申請による場合

① 納税者（滞納者）の手続

イ 換価の猶予の申請をしようとする者は、その国税を一時に納付することによりその事業の継続又はその生活の維持が困難となる詳細、その他一定の事項を記載した申請書に、財産目録等一定の書類を添付し、これを税務署長に提出しなければならない。

また、猶予期間の延長を申請しようとする者は、猶予期間内にその猶予を受けた金額を納付することができないやむを得ない理由などを記載した申請書に、財産目録などを添付し、これを税務署長に提出しなければならない。

ロ 申請書の訂正又は添付すべき書類の訂正若しくは提出を求められた当該申請者は、通知を受けた日の翌日から起算して20日以内に当該申請書の訂正又は当該添付すべき書類の訂正若しくは提出をしなければならない。この場合において、当該期間内に、これらをしなかったときは、当該申請者は、当該期間を経過した日において当該申請を取り下げたものとみなす。

② 税務署長の手続

イ 申請書の提出又は猶予期間の延長の申請書の提出があった場合には、当該申請に係る事項について調査を行い、換価の猶予をし、又はその換価の猶予若しくはその猶予の延長を認めないものとする。

ロ 申請書の提出又は猶予期間の延長の申請書の提出があった場合において、これらの申請書についてその記載に不備があるとき又は申請書に添付すべき書類についてその記載に不備があるとき若しくはその提出がないときは、当該申請者に対して当該申請書の訂正若しくは提出を求めることができる。この場合においては、その旨及びその理由を記載した書面により、これを当該申請者に通知する。

ハ 申請書の提出又は猶予期間の延長の申請書の提出があった場合において、当該申請者について換価の猶予の規定又は猶予期間の延長の規定に該当していると認められるときであっても、以下のいずれかに該当するときは、当該換価の猶予を認めないことができる。そして、税務署長はその旨を滞納者に通知しなければならない。

（イ）繰上請求に該当する事実があることによる換価の猶予の取消し等をするとき。

(ロ) 当該申請者が、質問に対して答弁をせず、又は検査を拒み、妨げ、若しくは忌避したとき。

(ハ) 不当な目的で当該換価の猶予又は猶予期間の延長の申請がされたとき、その他その申請が誠実にされたものでないとき。

(3) 職権、申請による場合の通知

① 税務署長は、換価の猶予をし、又はその猶予の期間を延長したときは、その旨その他必要な事項を滞納者に通知しなければならない。

② 税務署長は、上記①の猶予をする場合には、その猶予に係る金額（その納付を困難とする一定の金額を限度とする）をその猶予をする期間内の各月（税務署長においてやむを得ない事情があると認めるときは、税務署長が指定する月）に分割して納付させるものとする。この場合においては、滞納者の財産状況その他の事情からみて、その猶予をする期間内の各月に納付させる金額が、それぞれの月において合理的かつ妥当なものとなるようにしなければならない。

３．猶予期間（法151の２、152）（職権、申請）　重要度○

(1) 猶予期間は、原則として１年以内の期間に限られる。この場合において、納税者の将来における納付能力に応じ、猶予金額を月別などに適宜分割して、それぞれの分割した金額ごとに猶予期間を定めることができる。

(2) 上記(1)の場合において、猶予期間内に止むを得ない理由により猶予金額を納付できないと認められるときは、納税者の申請により猶予期間（職権の場合「その期間」）を延長することができる。ただし、延長できる期間は、既に認めた猶予期間を合わせて２年を超えることができない。

４．担保の徴取（法152）（職権、申請）　重要度○

(1) 担保を徴する場合

税務署長は、換価の猶予をする場合には、その猶予に係る金額に相当する担保を徴さなければならない。ただし、その猶予に係る税額が100万円以下である場合、その猶予期間が３月以内である場合又は担保を徴することができない特別の事情がある場合は、この限りでない。

(2) 担保の価額の範囲

① 税務署長は、担保を徴する場合において、その猶予に係る国税につき滞納処分により差し押えた財産があるときは、その担保の額は、その猶予をする金額からその財産の価額を控除した額を限度とする。

② 納付委託があった場合において、担保の提供の必要がないと認められるに至ったときは、その認められる限度においてその担保の提供があったものとすることができる。

５．効　果（職権、申請）　重要度○

(1) 換価の禁止

税務署長は、換価の猶予をしたときは、その猶予期間内は、差押財産の換価をすることはできないが、交付要求又は新たな差押をすることができる。

(2) 差押えの猶予又は解除（法152）

税務署長は、換価の猶予をする場合において、必要があると認めるときは、差押えにより滞納者の事業の継続又は生活の維持を困難にするおそれがある財産の差押えを猶予し、又は解除することができる。

(3) 果実等の換価・充当（法152）

税務署長は、換価の猶予をした場合において、その猶予に係る国税につき差し押えた財産のうちに天然果実を生ずるもの又は有価証券、債権若しくは無体財産権等があるときは、上記(1)にかかわらず、次のように取り扱う。

① 取得し又は給付を受けた財産が金銭以外の財産であるときは、滞納処分を執行し、その換価代金等をその猶予に係る国税に充てることができる。

② 給付を受けた財産が金銭であるときは、その金銭を直ちにその猶予に係る国税に充てることができる。

(4) 時効の完成猶予及び更新（国通法73④）

① 申請による場合

換価の猶予の申請があった場合には、消滅時効は更新する。換価の猶予がされた場合には、猶予期間中は、その申請に係る国税の徴収権の消滅時効は完成せず（完成猶予）、その猶予期間を経過した時から新たにその進行を始める（更新する）。

② 職権による場合

換価の猶予がされた場合には、猶予期間中は、その国税の徴収権の消滅時効は完成しない（完成猶予）。

(5) 延滞税の免除（国通法63①③）

① 換価の猶予をした国税に係る延滞税のうち、原則としてその猶予期間に対応する部分の金額の２分の１相当額は、免除する。

② 上記①の残りの部分の延滞税について、納税者が一定の要件に該当するときは、その納付が困難と認められるものを限度として、免除することができる。

(6) **納付委託**（国通法55）

換価の猶予に係る国税については、一定の要件に該当するときは、納付委託をすることができる。

6．取消し又は猶予期間の短縮（法152）　重要度○

(1) **要　件**

① **職権による場合**

換価の猶予を受けた者が、次のいずれかに該当する場合には、税務署長は、その猶予を取消し、又は猶予期間を短縮することができる。

イ　繰上請求に該当する事実がある場合において、その者がその猶予に係る国税を猶予期間内に完納することができないと認められるとき。

ロ　換価の猶予の通知された分割納付の各納付期限ごとの納付金額をその納付期限までに納付しないとき（税務署長がやむを得ない理由があると認めるときを除く。）

ハ　その猶予に係る国税につき提供された担保について、担保の変更等その他の担保の確保のために必要な税務署長の命令に応じないとき

ニ　新たにその猶予に係る国税以外の国税を滞納したとき（税務署長がやむを得ない理由があると認めるときを除く）

ホ　上記に掲げる場合を除き、その者の財産の状況その他の事情の変化によりその猶予を継続することが適当でないと認められるとき。

② **申請による場合**

換価の猶予を受けた者が、次のいずれかに該当する場合には、税務署長は、その猶予を取消し、又は猶予期間を短縮することができる。

イ　繰上請求に該当する事実がある場合において、その者がその猶予に係る国税を猶予期間内に完納することができないと認められるとき。

ロ　換価の猶予の通知された分割納付の各納付期限ごとの納付金額をその納付期限までに納付しないとき（税務署長がやむを得ない理由があると認めるときを除く。）

ハ　その猶予に係る国税につき提供された担保について、担保の変更等その他の担保の確保のために必要な税務署長の命令に応じないとき

ニ　新たにその猶予に係る国税以外の国税を滞納したとき（税務署長がやむを得ない理由があると認めるときを除く）

ホ　偽りその他不正な手段によりその猶予（延長）の申請がされ、その申請に基づきその猶予（延長）をしたことが判明したとき

ヘ　上記に掲げる場合を除き、その者の財産の状況その他の事情の変化によりその猶予を継続することが適当でないと認められるとき。

⑵ 通　知（職権、申請）

税務署長は、換価の猶予を取消し、又は猶予期間を短縮したときは、その旨を滞納者に通知しなければならない。

⑶ 取消しの効果（職権、申請）

換価の猶予の取消しは、将来に向かってのみその効力を生ずるものであり、猶予の始期に遡るものではない。

《参　考》「分割納付計画の変更」：換価の猶予

⑴　税務署長は、猶予期間内の分割納付の規定によりその猶予に係る金額を分割して納付させる場合において、納税者が通知された分割納付の各納付期限ごとの納付金額をその納付期限までに納付することができないことにつきやむを得ない理由があると認めるとき又は換価の猶予の取消しの規定により猶予期間を短縮したときは、その分割納付の各納付期限及びその納付金額を変更することができる。

⑵　分割納付計画の変更の決議及び納税者等への通知

①　分割納付計画を変更する場合（猶予期間の短縮に際して行う場合を除く）は、換価の猶予の納付計画変更決議書により決裁を了したうえ、その旨を換価の猶予の納付計画変更通知書により納税者に通知する。

②　保証人及び担保財産の所有者（物上保証人）がある場合には、これらの者に対し、換価の猶予の納付計画変更通知書により分割納付計画を変更した旨を通知する。

5－5　滞納処分の停止　〔ランクB〕

1．要　件（法153①）　重要度◎

税務署長は、滞納者につき次のいずれかに該当する事実があると認めるときは、滞納処分の執行を停止することができる。

(1) 滞納処分の執行及び租税条約等の相手国等に対する共助対象国税の徴収の共助の要請による徴収（以下「滞納処分の執行等」という。）をすることができる財産がないとき。

(2) 滞納処分を執行等することによってその生活を著しく窮迫させるおそれがあるとき。

(3) その所在及び滞納処分を執行等することができる財産がともに不明であるとき。

2．手　続（法153②）　重要度◎

税務署長は、滞納処分の執行を停止したときは、その旨を滞納者に通知しなければならない。

3．効　果　重要度○

(1) 滞納処分の禁止（法153③）

税務署長は、滞納処分の執行を停止した場合には、その停止期間内は、新たな差押えをすることができない。また、上記１(2)により滞納処分の執行を停止した場合において、その停止に係る国税について差し押えた財産があるときは、その差押えを解除しなければならない。

(2) 納税義務の消滅（法153④⑤）

①　滞納処分の執行を停止した国税を納付する義務は、その執行の停止が３年間継続したときは、消滅する。

②　上記１(1)により滞納処分の執行を停止した場合において、その国税が限定承認に係るものであるとき、その他その国税を徴収することができないことが明らかであるときは、税務署長は、上記①にかかわらず、その国税を納付する義務を直ちに消滅させることができる。

(3) 時効の進行

滞納処分の執行を停止した場合には、その停止期間内においても、その停止に係る国税の徴収権の消滅時効は進行する。

(4) 延滞税の免除（国通法63①）

滞納処分の執行を停止した場合には、その停止をした国税に係る延滞税のうち、原則としてその停止期間に対応する部分の金額相当額は、免除する。

４．取消し

重要度○

(1) 要　件（法154①）

税務署長は、滞納処分の執行を停止した後３年以内に、その停止に係る滞納者につき上記１に掲げる事実がないと認めるときは、その執行の停止を取り消さなければならない。

(2) 通　知（法154②）

税務署長は、滞納処分の執行の停止を取り消したときは、その旨を滞納者に通知しなければならない。

(3) 取消しの効果

滞納処分の停止の取消しは、将来に向かってのみその効力を生ずるものであり、停止の始期に遡るものではない。

(MEMO)

テーマ6

保全処分・国税の担保

6−1　繰上請求　〔ランクＡ〕

１．要　件（国通法38①）　重要度◎

次のすべての要件に該当するときは、税務署長は、その納期限を繰り上げ、その納付を請求することができる。

(1)　納付すべき税額の確定した国税（(2)③に該当する場合においてはその納める義務が信託財産責任負担債務であるものを除く。）でその納期限までに完納されないと認められるものがあること。

(2)　納税者が次のいずれかに該当すること。

①　納税者の財産につき強制換価手続が開始されたとき（担保仮登記の実行通知がされたときを含む。）。

②　納税者が死亡した場合において、その相続人が限定承認をしたとき。

③　法人である納税者が解散したとき。

④　その納める義務が信託財産責任負担債務である国税に係る信託が終了したとき（信託の併合によって終了したときを除く。）。

⑤　納税者が納税管理人を定めないで法施行地に住所及び居所を有しないこととなるとき。

⑥　納税者が偽りその他不正の行為により国税を免れ、若しくは免れようとし、若しくは国税の還付を受け、若しくは受けようとしたと認められるとき、又は納税者が国税の滞納処分の執行を免れ、若しくは免れようとしたと認められるとき。

２．手　続（国通法38②）　重要度◎

繰上請求は、税務署長が、納付すべき税額、その繰上げに係る期限及び納付場所を記載した繰上請求書（源泉徴収による国税で納税の告知がされていないものについて繰上請求をする場合には、繰上請求をする旨を附記した納税告知書）を送達して行う。

３．効　果（法47①二）　重要度○

繰上請求のあった国税が、上記２の繰上げに係る期限までに完納されないときは、徴収職員は、督促を要しないで、直ちに差押えをしなければならない。

(MEMO)

6−2　保　全　差　押　〔ランクＡ〕

１．要　件（法159①）　重要度◎

次のすべての要件に該当するときは、その国税の納付すべき額の確定前に、保全差押金額を決定し、その金額を限度として直ちにその者の財産を差し押えることができる。

(1) 納税義務があると認められる者が不正に国税を免れ、又は国税の還付を受けたことの嫌疑に基づき、国税通則法第11章（犯則事件の調査及び処分）の規定による差押え、記録命令付差押え若しくは領置又は刑事訴訟法の規定による押収、領置若しくは逮捕を受けたこと。

(2) 上記(1)の差押え等の処分に係る国税の納付すべき額の確定後においては、その国税の徴収を確保することができないと認められること。

２．手　続　重要度◎

(1) 保全差押金額の決定（法159①）

上記１の要件に該当するときは、税務署長は、その国税の納付すべき額の確定前に、その確定をすると見込まれる国税の金額のうちその徴収を確保するためあらかじめ滞納処分を執行することを要すると認める金額（以下「保全差押金額」という。）を決定することができる。

(2) 国税局長の承認（法159②）

税務署長は、保全差押金額の決定をしようとするときは、あらかじめ、その所属する国税局長の承認を受けなければならない。

(3) 保全差押金額の通知（法159③）

税務署長は、保全差押金額の決定をするときは、その保全差押金額を納税義務があると認められる者に書面で通知しなければならない。

(4) 保全差押（法159①④）

徴収職員は、保全差押金額を限度として、納税義務があると認められる者の財産を直ちに差し押さえることができる。

ただし、その者が保全差押金額に相当する担保を提供してその差押えをしないことを求めたときは、その差押えをすることができない。

(5) 保全差押に代わる交付要求（法159⑨）

上記(4)の場合において、差し押さえるべき財産に不足があると認められるときは、税務署長は、差押えに代えて交付要求をすることができる。この場合においては、その交付要求であることを明らかにしなければならない。

３．効　力　重要度○

(1) 換価の制限（法159⑧）

保全差押をした財産は、その差押えに係る国税につき納付すべき額の確定があった後でなければ、換価することができない。

(2) 差押金銭等の供託（法159⑩）

税務署長は、保全差押をした金銭（債権等の差押えにより第三債務者等から給付を受けた金銭を含む。）がある場合において、その差押えに係る国税につき納付すべき額の確定がされていないときは、これを供託しなければならない。

(3) 国税確定後の効力（法159⑦）

保全差押又は担保の提供に係る国税につき納付すべき額の確定があったときは、その差押え又は担保の提供は、その国税を徴収するためにされたものとみなす。

４．保全差押の解除　重要度○

(1) 差押えの解除をしなければならない場合（法159⑤一・二）

徴収職員は、次のいずれかに該当するときは、保全差押を解除しなければならない。

① 保全差押を受けた者が保全差押金額に相当する担保を提供して、その差押えの解除を請求したとき。

② 保全差押金額の通知をした日から１年を経過した日までに、その差押えに係る国税につき納付すべき額の確定がないとき。

(2) 差押えの解除をすることができる場合（法159⑥）

徴収職員は、保全差押を受けた者につき、その資力その他の事情の変化により、その差押えの必要がなくなったと認められることとなったときは、その差押えを解除することができる。

５．担保の解除　重要度○

(1) 担保の解除をしなければならない場合（法159⑤三、国通令17①）

徴収職員は、次のいずれかに該当するときは、保全差押金額に係る担保を解除しなければならない。

①　保全差押金額の通知をした日から１年を経過した日までに、その担保に係る国税につき納付すべき額の確定がないとき。

②　担保の変更等の理由によりその担保を引き続いて提供させる必要がないこととなったとき。

(2)　担保の解除をすることができる場合（法159⑥）

徴収職員は、担保を提供した者につき、その資力その他の事情の変化により、その担保の徴取の必要がなくなったと認められることとなったときは、その担保を解除することができる。

６．無過失賠償責任（法159⑪）

重要度◎

保全差押に係る国税の納付すべき額として確定をした金額が保全差押金額に満たない場合において、その差押えを受けた者がその差押えにより損害を受けたときは、国は、無過失であっても、その差押えにより通常生ずべき損失の額を賠償する責に任ずる。

（MEMO）

6−3　繰上保全差押　〔ランクA〕

1．要　件（国通法38③）　重要度◎

次のすべての要件に該当するときは、その国税の法定申告期限前に、繰上保全差押金額を決定し、その金額を限度として直ちにその者の財産を差し押えることができる。

(1) 納税者が次のいずれかに該当すること。

① 納税者の財産につき強制換価手続が開始されたとき（担保仮登記の実行通知がされたときを含む。）。

② 納税者が死亡した場合において、その相続人が限定承認をしたとき。

③ 法人である納税者が解散したとき。

④ その納める義務が信託財産責任負担債務である国税に係る信託が終了したとき（信託の併合によって終了したときを除く。）。

⑤ 納税者が納税管理人を定めないで法施行地に住所及び居所を有しないこととなるとき。

⑥ 納税者が偽りその他不正の行為により国税を免れ、若しくは免れようとし、若しくは国税の還付を受け、若しくは受けようとしたと認められるとき、又は納税者が国税の滞納処分の執行を免れ、若しくは免れようとしたと認められるとき。

(2) 次に掲げる国税（納付すべき税額が確定したものを除く。）でその確定後においてはその国税の徴収を確保することができないと認められるものがあること。

① 納税義務の成立した国税（下記②及び③を除く。）

② 課税期間が経過した課税資産の譲渡等に係る消費税

③ 納税義務の成立した課税資産の譲渡等についての中間申告書に係る消費税

2．手　続　重要度◎

(1) 繰上保全差押金額の決定（国通法38③）

上記１の要件に該当するときは、税務署長は、その国税の法定申告期限前に、その確定すると見込まれる国税の金額のうちその徴収を確保するため、あらかじめ、滞納処分を執行することを要すると認める金額（以下「繰上保全差押金額」という。）を決定することができる。

(2) 国税局長の承認（国通法38④）

税務署長は、繰上保全差押金額の決定をしようとするときは、あらかじめ、その所属する国税局長の承認を受けなければならない。

(3) 繰上保全差押金額の通知（国通法38④）

税務署長は、繰上保全差押金額の決定をするときは、その繰上保全差押金額を納税者に書面で通知しなければならない。

(4) 繰上保全差押（国通法38③④）

税務署のその職員は、繰上保全差押金額を限度として、直ちに納税者の財産を差し押えることができる。

ただし、その者が繰上保全差押金額に相当する担保を提供してその差押えをしないことを求めたときは、その差押えをすることができない。

(5) 繰上保全差押に代わる交付要求（国通法38④）

上記(4)の場合において、差し押えるべき財産に不足があると認められるときは、税務署長は、差押えに代えて交付要求をすることができる。この場合においては、その交付要求であることを明らかにしなければならない。

３．効　力　　重要度○

(1) 換価の制限（国通法38④）

繰上保全差押をした財産は、その差押えに係る国税につき納付すべき額の確定があった後でなければ、換価することができない。

(2) 差押金銭等の供託（国通法38④）

税務署長は、繰上保全差押をした金銭（債権等の差押により第三債務者等から給付を受けた金銭を含む。）がある場合において、その差押えに係る国税につき納付すべき額の確定がされていないときは、これを供託しなければならない。

(3) 国税確定後の効力（国通法38④）

繰上保全差押又は担保の提供に係る国税につき納付すべき額の確定があったときは、その差押え又は担保の提供は、その国税を徴収するためにされたものとみなす。

４．繰上保全差押の解除　　重要度○

(1) 差押えの解除をしなければならない場合（国通法38④）

徴収職員は、次のいずれかに該当するときは、繰上保全差押を解除しなければならない。

①　繰上保全差押を受けた者が繰上保全差押金額に相当する担保を提供して、その差押えの解除を請求したとき。

②　繰上保全差押金額の通知をした日から10月を経過した日までに、その差押えに係る国税につき納付すべき額の確定がないとき。

(2) 差押えの解除をすることができる場合（国通法38④）

徴収職員は、繰上保全差押を受けた者につき、その資力その他の事情の変化により、その差押えの必要がなくなったと認められることとなったときは、その差押えを解除することができる。

5．担保の解除　重要度○

(1) 担保の解除をしなければならない場合（国通法38④）

徴収職員は、次のいずれかに該当するときは、繰上保全差押金額に係る担保を解除しなければならない。

① 繰上保全差押金額の通知をした日から10月を経過した日までに、その担保に係る国税につき納付すべき額の確定がないとき。

② 担保の変更等の理由によりその担保を引き続いて提供させる必要がないこととなったとき。

(2) 担保の解除をすることができる場合（国通法38④）

徴収職員は、担保を提供した者につき、その資力その他の事情の変化により、その担保の徴取の必要がなくなったと認められることとなったときは、その担保を解除することができる。

6．無過失賠償責任（国通法38④）　重要度◎

繰上保全差押に係る国税の納付すべき額として確定をした金額が繰上保全差押金額に満たない場合において、その差押えを受けた者がその差押えにより損害を受けたときは、国は、無過失であっても、その差押えにより通常生ずべき損失の額を賠償する責に任ずる。

《参　考》要　件

次のすべての要件に該当するときは、その国税の法定申告期限前に、繰上保全差押金額を決定し、その金額を限度として直ちにその者の財産を差し押えることができる。

(1) 納税者に繰上請求の一に該当する事実があること。

(2) 納税義務の成立した国税等（納付すべき税額が確定したものを除く。）でその確定後においてはその国税の徴収を確保することができないと認められるものがあること。

(MEMO)

6−4　保　全　担　保　〔ランクＢ〕

１．担保の提供命令　重要度◎

(1) 要　件（法158①）

次のすべての要件に該当するときは、税務署長は、その国税の担保として、金額及び期限を指定して、その者に担保の提供を命ずることができる。

① 納税者が消費税等（消費税を除く。）を滞納したこと。

② その後その者に課すべきその国税の徴収を確保することができないと認められること。

(2) 指定する金額（法158②）

上記(1)により指定する金額は、次のいずれか多い金額を限度とする。

① その提供を命ずる月の前月分のその国税の額の３倍相当額

② 前年におけるその提供を命ずる月に対応する月分及びその後２月分のその国税の金額

(3) 指定する期限（令55②）

担保を提供すべき期限は、担保の提供を命ずる書面を発する日から起算して７日を経過した日以後の日としなければならない。ただし、納税者につき繰上請求に該当する事実が生じたときは、この期限を繰り上げることができる。

２．抵当権の設定　重要度◎

(1) 設定の要件と通知（法158③）

次のすべての要件に該当するときは、税務署長は、その国税に関し、その者の財産で抵当権の目的となるものにつき、上記１(2)により指定した金額を限度として抵当権を設定することを書面で納税者に通知することができる。

① 上記１(1)により担保の提供命令を受けた納税者が、その指定された期限までにその担保を提供しないこと。

② その担保の提供命令に係る消費税等が、酒税でないこと。

(2) みなす設定（法158④）

上記(1)の通知があったときは、その通知を受けた納税者は、その抵当権を設定したものとみなす。

(3) 登記の嘱託（法158④⑤）

税務署長は、上記(1)の通知をしたときは、抵当権の設定の登記を関係機関に嘱託しなければならない。

この場合においては、その嘱託に係る書面には、納税者の承諾書の添付は要しないが、原則として上記(1)の通知が納税者に到達したことを証する書面を添付しなければならない。

３．担保の解除

重要度○

(1) 担保の解除をしなければならない場合（法158⑦、国通令17①）

税務署長は、上記１又は２の担保の提供等があった場合において、次のいずれかに該当するときは、その担保を解除しなければならない。

① 担保の提供命令に係る国税の滞納がない期間が継続して３月に達したとき。

② 担保の変更等の理由によりその担保を引き続いて提供させる必要がないこととなったとき。

(2) 担保の解除をすることができる場合（法158⑧）

税務署長は、担保の提供等があった納税者の資力その他の事情の変化により担保の提供等の必要がなくなったと認めるときは、直ちにその担保を解除することができる。

6－5　国税の担保　〔ランクＡ〕

１．担保を徴する場合　重要度○

(1) 納税の猶予又は換価の猶予をする場合
(2) 保全差押又は繰上保全差押に伴う差押えの猶予又は解除の場合
(3) 不服申立てに伴う差押えの猶予又は解除の場合
(4) 延納の場合
(5) 保全担保の場合
(6) 納期限の延長の場合
(7) その他一定の場合

２．担保の種類（国通法50）　重要度○

国税に関する法律の規定により提供される担保の種類は、次に掲げるものとする。

(1) 国債及び地方債
(2) 社債その他の有価証券で税務署長等が確実と認めるもの
(3) 土　地
(4) 建物等で、保険に附したもの
(5) 工場財団等
(6) 税務署長等が確実と認める保証人の保証
(7) 金　銭

３．担保の価額（国通法46⑥、55④、法152）　重要度○

担保の価額は、担保の提供を必要とする国税を満足させる額でなければならない。この場合において、担保を徴して納税の猶予または換価の猶予をするときで現に差押財産があるときは、その差押財産の価額を控除した額を限度とする。また、納付委託に係る有価証券であり、担保を徴する必要がないと認められるときは、その有価証券をもって、担保の提供があったものとすることができる。

４．担保の変更等　重要度○

(1) 担保の変更命令等（国通法51①）

次のすべての要件に該当するときは、税務署長等は、その担保を提供した者に対し、増担保の提供、保証人の変更その他の担保を確保するため必要な行為をすべきことを命ずることができる。

① 国税につき担保の提供があったこと。

② 担保として提供された財産の価額又は保証人の資力の減少その他の理由によりその国税の納付を担保することができないと認めること。

(2) 承認による担保の変更（国通法51②）

国税について担保を提供した者は、税務署長等の承認を受けて、その担保を変更することができる。

(3) 金銭担保による納付（国通法51③）

国税の担保として金銭を提供した者は、その金銭をもってその国税の納付に充てることができる。

５．担保の解除

重要度○

(1) 要　件（国通令17①）

次のいずれかに該当するときは、国税庁長官等は、その担保を解除しなければならない。

① 担保の提供されている国税が完納されたこと。

② 担保を提供した者が担保の変更の承認を受けて変更に係る担保を提供したこと。

③ 更正の取消その他の理由によりその担保を引き続いて提供させる必要がないこととなったこと。

(2) 手　続（国通令17②）

担保の解除は、担保を提供した者にその旨を書面で通知することによって行う。

６．担保の処分

重要度◎

(1) 担保が物である場合

① 要　件（国通法52①）

次のいずれかに該当するときは、税務署長等は、その担保として提供された金銭をその国税に充て、若しくはその提供された金銭以外の財産を滞納処分の例により処分してその国税及びその財産の処分費に充てる。

イ　担保の提供されている国税がその納期限（繰上げに係る期限及び納税の猶予等に係る期限を含む。）までに完納されないとき。

ロ　担保の提供されている国税についての納税の猶予等を取り消したとき。

② 滞納処分（国通法52④）

担保として提供された金銭又は担保として提供された財産の処分の代金をその国税及び処分費に充ててなお不足があると認めるときは、税務署長等は、その担保を提供した者の他の財産について滞納処分を執行する。

(2) 担保が保証人の保証である場合

① 要　件（国通法52①）

次のいずれかに該当するときは、税務署長等は、保証人にその国税を納付させる。

イ　担保の提供されている国税がその納期限（繰上げに係る期限及び納税の猶予等に係る期限を含む。）までに完納されないとき。

ロ　担保の提供されている国税についての納税の猶予等を取り消したとき。

② 保証人からの徴収手続

イ　納付通知書による告知（国通法52②）

税務署長等は、上記①の国税を保証人から徴収しようとするときは、その者に対し、納付させる金額、納付の期限その他必要な事項を記載した納付通知書により告知しなければならない。

この場合の納付の期限は、その納付通知書を発する日の翌日から起算して１月を経過する日とする。

ロ　他の税務署長への通知（国通法52②）

上記イの告知をした場合においては、保証人の住所又は居所の所在地を所轄する税務署長に対し、その旨を通知しなければならない。

ハ　納付催告書による督促（国通法52③）

保証人がその国税を上記イの納付の期限までに完納しないときは、税務署長等は、繰上請求をする場合を除き、原則としてその納付の期限から50日以内に、納付催告書によりその納付を督促しなければならない。

③ 滞納処分（国通法52④　法47条②）

イ　保証人が督促を受け、その督促に係る国税を納付催告書を発した日から起算して10日を経過した日までに完納せず、かつ、その担保を提供した者に対して滞納処分を執行してもなお不足があると認めるときは、保証人に対して滞納処分を執行する。

ロ　上記イの場合において、10日を経過した日までに督促を受けた保証人につき繰上請求の一に該当する事実が生じたときは、徴収職員は、直ちにその財産を差し押さえることができる。

④　換価の制限

イ　換価の順序（国通法52⑤）

　上記③により保証人に対して滞納処分を執行する場合には、税務署長等は、担保を提供した者の財産を換価に付した後でなければ、その保証人の財産を換価に付することができない。

ロ　訴訟による換価の制限（法90③）

　保証人が上記②の告知、督促又はこれらに係る国税に関する滞納処分につき訴えを提起したときは、その訴訟の係属する間は、その国税につき滞納処分による財産の換価をすることができない。

ハ　不服申立てによる換価の制限（国通法105①）

　保証人の財産の滞納処分による換価は、その財産の価額が著しく減少するおそれがあるとき、又は不服申立人から別段の申出があるときを除き、その不服申立てについての決定又は裁決があるまで、することができない。

⑤　繰上請求等に関する規定の準用（国通法52⑥）

　繰上請求、納税の猶予及び納付委託の規定は、保証人に上記①の国税を納付させる場合について準用する。

6－6　納　付　委　託　〔ランクB〕

(1) 要　件（国通法55①）

次のすべての要件に該当するときは、税務署のその職員は、その証券の取立てとその取り立てた金銭によるその国税の納付の委託を受けることができる。

① 委託の目的となる国税が次のいずれかに該当すること。

イ　納税の猶予又は滞納処分に関する猶予に係る国税

ロ　納付委託をしようとする有価証券の支払期日以後に納期限の到来する国税

ハ　上記イ及びロ以外の滞納国税で、その納付につき納税者が誠実な意思を有し、かつ、納付委託を受けることが国税の徴収上有利と認められるもの

② 納税者が国税の納付に使用することができる証券以外の有価証券を提供したこと。

③ その証券が最近において確実に取り立てることができるものであると認められること。

④ その証券の取立てにつき費用を要するときは、その費用の額に相当する金額をあわせて提供すること。

(2) 手　続（国通法55②）

税務署のその職員は、納付委託を受けたときは、納付受託証書を交付しなければならない。

(3) 再委託（国通法55③）

納付委託があった場合において、必要があるときは、税務署のその職員は、確実と認める金融機関にその取立て及び納付の再委託をすることができる。

(4) 効　果

① 担保の代用（国通法55④）

納付委託があった場合において、その委託に係る有価証券の提供により上記(1)①イの国税につき国税に関する法律の規定による担保の提供の必要がないと認められるに至ったときは、その認められる限度においてその担保の提供があったものとすることができる。

② 延滞税の免除（国通法63⑥）

上記(3)の再委託を受けた金融機関がその有価証券の取立てをすべき日後にその国税の納付をした場合（一定の場合を除く。）には、同日の翌日からその納付があった日までの期間に対応する部分の金額を限度として、その延滞税を免除することができる。

(MEMO)

6−7　納付義務の承継　〔ランクB〕

1．納付義務の承継（国通法5、6、7）　重要度◎

(1) 納付義務の承継される場合と承継者

下記に掲げる場合に応じ、それぞれに掲げる者が納付義務を承継する。

① 相続があった場合には、相続人又は相続財産法人

② 法人が合併した場合には、合併後存続する法人又は合併により設立した法人

③ 法人が人格のない社団等の財産に属する権利義務を包括して承継した場合には、当該法人

(2) 承継される国税

承継される国税は、被相続人、被合併法人又は人格のない社団等に課されるべき、又はそれらの者が納付し、若しくは徴収されるべき国税である。

(3) 承継による効果

① 共通的に生ずる効果

イ　納付義務の承継者は、納税に関して被相続人等が有していた税法上の地位を承継する。

ロ　被相続人等の国税に係る申告、申請、請求、届出、不服申立て等の主体となり、また、納税の告知、督促、滞納処分等の対象となる。

ハ　被相続人等の国税についてされていた納税の猶予、換価の猶予等の効果をも承継する。

② 相続による場合の特別な効果

イ　相続人が限定承認をしたときは、その相続人は、相続によって得た財産の限度においてのみその国税を納付する責めに任ずる。

ロ　相続人が2人以上あるときは、各相続人は、民法の規定により按分して計算した額の国税の納付義務をそれぞれ承継する。

ハ　相続人が2人以上ある場合に、相続によって得た財産が承継税額を超えている相続人は、その超える額を限度として、他の相続人の承継税額を納付する責めに任ずる。(納付責任額)

2．信託に係る国税の納付義務の承継　重要度○

(1) 納付義務の承継される場合と承継者（国通法7の2①〜⑥）

下記に掲げる場合に応じ、それぞれに掲げる者が納付義務を承継する。

① 受託者の任務が終了した場合において、新受託者が就任したときは、その新受託者

② 受託者が２人以上ある信託において、その１人の任務が終了した場合には、①にかかわらず、他の受託者のうち、任務終了受託者から信託事務の引継ぎを受けた受託者

③ 受託者の死亡により任務が終了した場合の信託財産の帰属等に規定する法人

④ 受託者である法人の分割により受託者としての権利義務を承継した法人

(2) 承継される国税

承継される国税は、(1)の受託者に課されるべき、又はそれらの者が納付し、若しくは徴収されるべき国税である。

(3) 承継による効果

① (1)①又は②により国税を納める義務が承継された場合にも、その受託者又は任務終了受託者は、自己の固有財産をもって、その承継された国税を納める義務を履行する責任を負う。ただし、その国税を納める義務について、信託財産に属する財産のみをもってその履行の責任を負うときは、その限りでない。

② 新受託者は、(1)①により国税を納める義務を承継した場合には、信託財産に属する財産のみをもって、その承継された国税を納める義務を履行する責任を負う。

6−8　連帯納付義務　〔ランクＣ〕

１．国税通則法における民法の準用の内容（国通法８）　重要度○

国税に関する法律の規定により国税を連帯して納付する義務については、民法（連帯債務の効力等）の規定を準用する。

(1) 税務署長は、納税者の一人に対して、又は同時若しくは順次にすべての納税者に対して連帯納付義務に係る国税の全部又は一部についての納税の告知、督促及び滞納処分をすることができる。

(2) 連帯納付義務者の一人に対する履行の請求（納税の告知、督促及び滞納処分）は、他の連帯納付義務者に対してはその効力を生じない。

(3) 連帯納付義務者の一人のために国税の徴収権の消滅時効が完成したときは、その負担部分については他の連帯納付義務者は国税の徴収権の消滅時効が完成しない。

２．共有物等に係る国税の連帯納付義務（国通法９）　重要度○

共有物、共同事業又は当該事業に属する財産に係る国税は、その納税者が連帯して納付する義務を負う。

３．法人の合併等の無効判決に係る連帯納付義務（国通法９の２）　重要度○

合併等を無効とする判決が確定した場合には、当該合併等をした法人は、合併後存続する法人若しくは合併により設立した法人又は分割により事業を承継した法人の当該合併等の日以後に納税義務の成立した国税（その附帯税を含む。）について、連帯して納付する義務を負う。

４．法人の分割に係る連帯納付義務（国通法９の３）　重要度○

法人が分割をした場合には、当該分割により事業を承継した法人は、当該分割をした法人の分割の日前に納税義務の成立した国税で一定のものについて、連帯納付の責めに任ずる。ただし、当該分割をした法人から承継した財産（当該分割をした法人から承継した信託財産に属する財産を除く。）の価額を限度とする。

テーマ7

そ　の　他

7−1　国税の処分に対する不服申立てと国税の徴収との関係　〔ランクA〕

1．不服申立てと国税徴収との関係　重要度○

(1) 換価の制限（国通法105①）

国税に関する法律に基づく処分に対する不服申立ては、その目的となった処分の効力、処分の執行又は手続の続行を妨げない。ただし、その国税の徴収のため差し押えた財産（特定参加差押不動産を含む。）の滞納処分による換価は、原則として、その不服申立てについての決定等があるまですることができない。

(2) 徴収の猶予等と滞納処分の続行の停止（国通法105②④⑥）

再調査審理庁又は国税庁長官は、必要があると認めるときは、再調査請求人等の申立てにより、又は職権で、不服申立ての目的となった処分に係る国税の全部若しくは一部の徴収を猶予し、若しくは滞納処分の続行を停止し、又はこれらを命ずることができる。

また、国税不服審判所長は、必要があると認めるときは、審査請求人の申立てにより、又は職権で、審査請求の目的となった処分に係る国税につき、徴収の所轄庁の意見を聞いたうえ、当該国税の全部若しくは一部の徴収を猶予し、又は滞納処分の続行を停止することを徴収の所轄庁に求めることができる。この場合において、徴収の所轄庁は、国税不服審判所長からその徴収の猶予若しくは滞納処分の続行の停止を求められたときは、審査請求の目的となった処分に係る国税の全部若しくは一部の徴収を猶予し、又は滞納処分の続行を停止しなければならない。

(3) 担保の提供による差押えの解除等（国通法105③⑤⑥）

再調査審理庁又は国税庁長官は、再調査請求人等が担保を提供して、不服申立ての目的になった処分に係る国税につき、滞納処分による差押えをしないこと又は既にされている滞納処分による差押えを解除することを求めた場合において、相当と認めるときは、その差押えをせず、若しくはその差押えを解除し、又はこれらを命ずることができる。

また、国税不服審判所長は、審査請求人が徴収の所轄庁に担保の提供をして、審査請求の目的となった処分に係る国税につき、滞納処分による差押えをしないこと又は既にされている滞納処分による差押えを解除することを求めた場合において、相当と認めるときは、徴収の所轄庁に対し、その差押えをしないこと又はその差押えを解除することを求めることができる。この場合において、徴収の所轄庁は、国税不服審判所長からその差押えをしないこと若しくは差押えを解除することを求められたときは、その差押えをせず、又はその差押えを解除しなければならない。

２．不服申立ての特例

重要度○

(1) 不服申立期間（国通法77）

① 不服申立て（再調査の請求後にする審査請求を除く）は、処分があったことを知った日（処分に係る通知を受けた場合には、その受けた日）の翌日から起算して３月を経過したときは、することができない。ただし、正当な理由があるときは、この限りではない。

② 審査請求は、再調査決定書の謄本の送達があった日の翌日から起算して１月を経過したときは、することができない。ただし、正当な理由があるときは、この限りでない。

③ 不服申立ては、処分があった日の翌日から起算して１年を経過したときは、することができない。ただし、正当な理由があるときは、この限りでない。

《参　考》標準審理期間

国税庁長官、国税不服審判所長、国税局長、税務署長又は税関長は、不服申立てがその事務所に到達してから当該不服申立てについての決定又は裁決をするまでに通常要すべき標準的な期間を定めるように努めるとともに、これを定めたときは、その事務所における備付けその他の適当な方法により公にしておかなければならない。

(2) 滞納処分に関する不服申立て等の期限の特例（法171）

滞納処分についての次に掲げる処分に関して欠陥があることを理由とする不服申立て（不服申立期間の規定により不服申立てをすることができる期間を経過したもの及び国税に関する処分についての不服申立ての規定による審査請求を除く）は、これらの規定にかかわらず、それぞれに定める期限まで
でなければ、することができない。

① 督　促

原則として差押えに係る通知を受けた日から３月を経過した日

② 不動産等についての差押え

その公売期日等

③ 不動産等についての公売公告から売却決定までの処分

買受代金の納付の期限

④　換価代金等の配当
　　換価代金等の交付期日

(3) 差押動産等の搬出の制限（法172）

滞納者の動産等を占有する滞納者の親族その他の特殊関係者以外の第三者に係る引渡命令を受けた第三者が、その命令に係る財産が滞納者の所有に属していないことを理由として、その引渡命令につき不服申立てをしたときは、その不服申立ての係属する間は、その財産の搬出をすることができない。

(4) 不動産等の売却決定等の取消しの制限（法173①～③）

①　滞納処分に関する不服申立てがあった場合において、その処分は違法ではあるが、次に掲げる場合に該当するときは、税務署長等は、その不服申立てを棄却することができる。

イ　後行処分が既に行われている場合において、その不服申立てに係る処分の違法が軽微なものであり、その後行処分に影響を及ぼさせることが適当でないと認められたとき

ロ　換価した財産が公共の用に供されていることなど、その不服申立てに係る処分を取り消すことにより公共の利益に著しく反する場合で、その不服申立てをした者の受ける損害の程度等の事情を考慮してもなおその処分を取り消すことが公共の福祉に適合しないと認められること。

②　上記の不服申立ての棄却の決定又は裁決には、処分が違法であること及び不服申立てを棄却する理由を明示しなければならない。

また、国に対する損害賠償の請求を妨げない。

《参　考》「違法性の承継」と「滞納処分に関する不服申立て等の期限の特例の趣旨」

1　違法性の承継とは、先行処分に違法があった場合に、それが後行処分にも承継されることをいう。

違法性が承継されるとは、後行処分に何ら違法がなくても、先行処分の違法を理由として後行処分も違法であると主張することができることであり、また、先行処分に対する不服申立て又は訴訟提起の法定期間が経過しても、先行処分の違法を理由として後行処分について争うことができるというものである。

2　しかし、この違法性の承継を無制限に許容すると、滞納処分手続の安定を図ることができず、また、強制換価手続により権利利益を受けた者の保護を図ることができない。そこで、「滞納処分に関する不服申立て等の期限の特例」を設け、その申立ての期間を制限することとした。

(MEMO)

7−2　罰　則　〔ランクＢ〕

１．ほ税の罪（法187）　重要度○

⑴　納税者の場合

納税者が滞納処分の執行又は租税条約等の相手国等に対する共助対象国税の徴収の共助の要請による徴収を免れる目的でその財産を隠蔽し、損壊し、若しくは国の不利益に処分し、その財産に係る負担を偽って増加する行為をし、又はその現状を改変して、その財産の価額を減損し、若しくはその滞納処分に係る滞納処分費若しくは租税条約等の相手国等に対する共助対象国税の徴収の共助の要請による徴収に関する費用を増大させる行為をしたときは、その者は、３年以下の懲役若しくは250万円以下の罰金に処し、又はこれを併科する。

⑵　納税者の財産を占有する第三者の場合

納税者の財産を占有する第三者が納税者に滞納処分の執行又は租税条約等の相手国等に対する共助対象国税の徴収の共助の要請による徴収を免れさせる目的で上記⑴の行為をしたときも、同様とする。

⑶　財産価値を減少する行為の相手方となった者

情を知って納税者又はその財産を占有する第三者の⑴⑵の行為の相手方となったときは、その相手方としてその違反行為をした者は、２年以下の懲役若しくは150万円以下の罰金に処し、又はこれを併科する。

⑷　上記⑴及び⑵（これらの規定中滞納処分の執行に係る部分を除く。）の罪は、日本国外においてこれらの罪を犯した者にも適用する。

⑸　上記⑶（滞納処分の執行に係る部分を除く。）の罪は、刑法（すべての者の国外犯）の例に従う。

２．質問不答弁等の罪（法188）　重要度○

次のいずれかに該当する場合には、その違反行為をした者は、１年以下の懲役若しくは50万円以下の罰金に処する。

⑴　徴収職員の滞納処分に関する調査に係る質問検査権の規定による徴収職員の質問に対して答弁をせず、又は偽りの陳述をしたとき。

⑵　上記⑴の規定による検査を拒み、妨げ、又は忌避したとき。

⑶　上記⑴の規定による物件の提示又は提出の要求に対し、正当な理由がなくこれに応じず、又は偽りの記載をした帳簿書類（電磁的記録を含む。）その他の物件（その写しを含む。）を提示し、若しくは提出したとき。

３．両罰規定等（法190）

重要度○

法人の代表者（人格のない社団等の管理人を含む。）又は法人若しくは人の代理人、使用人、その他の従業者が、その法人又は人の業務又は財産に関して上記１又は２の違反行為をしたときは、その行為者を罰するほか、その法人又は人に対し、１又は２の罰金刑を科する。

人格のない社団等について上記の罰則を適用する場合においては、その代表者又は管理人がその訴訟行為につき当該人格のない社団等を代表するほか、法人を被告人又は被疑者とする場合の刑事訴訟に関する法律の規定を準用する。

7−3　国税通則法及び国税徴収法の目的　〔ランクA〕

１．国税通則法の目的（国通法1）　重要度○

国税通則法は、国税についての基本的な事項及び共通的な事項を定め、税法の体系的な構成を整備し、かつ、国税に関する法律関係を明確にするとともに、税務行政の公正な運営を図り、もって国民の納税義務の適正、かつ、円滑な履行に資することを目的とする。

２．国税徴収法の目的（法1）　重要度◎

国税徴収法は、国税の滞納処分その他の徴収に関する手続の執行について必要な事項を定め、私法秩序との調整を図りつつ、国民の納税義務の適正な実現を通じて国税収入を確保することを目的とする。

過年度本試験問題

過去本試験問題は、本試験問題の傾向の把握と、学習進度の確認の目安としてご使用いただくために、掲載しております。

そのため、問題文のみの掲載としております。

参考　過年度本試験問題

回（年度）	問題
第1回 （昭和26年度）	〔第一問〕 納税人の滞納にかかる国税を同族会社をして第二次的に負担させる場合、並びにそれらの各場合における第二次納税義務の限度について述べなさい。 〔第二問〕 再調査及び審査の請求に関する国税徴収法の規定と所得税その他の法律の規定との適用関係を概説し、併せて国税徴収法に規定する再調査及び審査の請求の手続を述べなさい。
第2回 （昭和27年度）	〔第一問〕 国税徴収の先取権（優先権）について説明しなさい。 〔第二問〕 財産差押を行う場合及びこれを解除する場合について説明しなさい。
第3回 （昭和28年度）	〔第一問〕 徴収猶予（現在の「納税の猶予」）、滞納処分の執行猶予および滞納処分の執行停止（現在の「換価の猶予」及び「滞納処分の停止」）の概念と、これらの間における異同を説明しなさい。 〔第二問〕 滞納者の財産と誤認された自己の財産を差押えられた第三者に対し、認められている救済方法について説明しなさい。
第4回 （昭和29年度）	〔第一問〕 本来の納税義務者（課税物件の帰属性）以外の者が、国税を納付すべきこととなる場合を説明しなさい。 〔第二問〕 滞納処分と交付要求を説明し、両者の関係を述べなさい。
第5回 （昭和30年度）	〔第一問〕 国税徴収法において税金の徴収手続が緩和される場合を挙げ簡単に説明しなさい。 〔第二問〕

	某製造業者（個人）が国税を滞納したので、徴収職員が財産差押に赴いたところ、下記のような物件があり、これらの物件について滞納税金に充てうると見積られる価格の合計額も滞納税額を下廻るものであった。これらの諸物件について、収税官吏が国税の徴収確保及び滞納者又は第三債務者保護の見地から財産差押にあたって留意すべき点並びに差押手続につき説明しなさい。 (1) 食料及び薪炭 (2) 機械器具、ただし、その一部について既に他の債権者のために譲渡担保権が設定されている。 (3) 某会社から受けるべき僅少の給与債権 (4) 譲渡禁止の特約のある債権 (5) 民事訴訟法の規定により既に仮差押中の家屋 (6) 質権が設定されている家具で質権者に占有されているもの (7) 既に滞納した国税のために差押えられている電話加入権（公売代金を当該滞納税金に充てて、なお残余があると見積られるもの）
第６回 （昭和31年度）	〔第一問〕 次の記述のうち誤っていると思う点について、その理由を簡単に述べなさい。 1．昭和58年分所得税（法定納期限等昭和59年３月15日）の滞納につき、昭和59年12月10日に滞納者の家屋を差押え、昭和60年２月10日にその公売を行なった。 当該税務署長は、次の国税、地方税及び私債権に係る交付要求並びに配当の要求を受けている。 物品税（法定納期限等、昭和59年８月31日　交付要求　昭和59年12月20日） 事業税（　〃　、昭和59年11月30日　交付要求　昭和59年12月26日） 私債権（この債権のため昭和58年７月１日、その家屋に抵当権設定の登記がなされている。） この場合における公売代金の充当又は配当は、次の順位によることとなる。 第１順位　所得税及び滞納処分費 第２順位　物品税 第３順位　事業税 第４順位　私債権 第５順位　滞納者

	2．国税通則法に基づき、国税の猶予をした場合において (1) 徴収職員は、猶予した税金について督促又は滞納処分を行うことはできない。 (2) 従って徴収職員は、猶予した国税のため、すでに差押中の債権につき、第三債務者に対し債務の履行を請求し又は第三債務者より給付を受けた物件を公売して国税に充当することはできない。 (3) また、その納税者に対する過誤納金の還付金及び還付加算金を、その納税の猶予期間中において納税の猶予をした税金に充当することはできない。 3．財産の差押は、税務官庁の一方的処分であるから、滞納者にその内容を了知させる必要がある。 (1) 従って、徴収職員は財産差押を行なった場合は、差押財産の種類のいかんにかかわらず差押調書の謄本を滞納者に交付しなければならない。 (2) 然し、謄本の交付は差押の効力の発生要件ではない。 4．滞納者は、その所有する家屋が差し押えられ、差押登記が完了したとしても、 (1) 家屋の所有権を失うものではなく、引き続きその利用管理をすることができる。 (2) 滞納者は、差押後においても、その家屋の差押の時期より前からの賃借人より家賃を領収することができるし、新たな賃借人に賃貸することも差支えない。 (3) その家屋が公売されたとしても、公売による買受人の権利は滞納者からの承継取得であると解されるから、公売による所有権の移転は賃借人の地位に影響を及ぼすものではない。 **〔第二問〕** 同族会社たる株式会社が、国税の滞納による差押を免がれるため、その財産を贈与し、又は債務の免除を行なった場合において、収税官吏（現在の「徴収職員」）が国税徴収法に基づき、国税債務確保のため、当該法律行為の相手方に対してとりうる諸措置及び各措置の関係につき述べなさい。
第７回 (昭和32年度)	**〔第一問〕** 合名会社Ａ商店、昭和58年３月30日を納期（現在の「法定納期

限」）とする税額100万円の納税告知（昭和60年６月５日現在）がされているが、同商店はこれを滞納したまま現在に至っている。

そこで徴収職員が同商店に対し滞納処分とするため調査したところ、次の事実が判明した。

(1) 納税告知がされた当時における社員は、甲、乙、丙の３人であったが、その後丙のみは退社し、その退社登記は昭和58年５月31日に行なわれている。

丙は、退社にあたり持分の払いもどしを請求し、その払いもどしとして100万円を解散前に会社から受領している。

(2) 同商店は昭和59年11月21日に解散し、その解散登記は同年11月30日に行なわれている。

(3) 解散後甲が清算人となり、会社の残余財産100万円を持分に応じて甲に60万円、乙に30万円を分配済みで、現在において会社に残っている財産は分配留保中の10万円しかないという状況である。

上記の場合において、会社が滞納した税金を徴収するため、現在甲、乙、丙に対して納税義務の履行を請求しまたは滞納処分を執行することができるかどうか。それについての根拠及び各人の負担する納税義務の限度額について述べなさい。

〔第二問〕

滞納者甲に対しその名義の建物および銀行定期預金について昭和60年３月８日滞納処分による差押が行なわれ、差押の登記その他所要の手続も同日完了している。これに対し、

(1) 甲からその建物を買受けた乙は、昭和60年２月28日付売買の契約書および登記簿謄本（昭和60年３月30日受付、登記原因同年２月28日売買による所有権移転登記の記載のあるもの）を提出し、税務署長に差押を解除するように申し出た。

(2) 税務署長から差押通知を受けた銀行は、甲に対し銀行の有する貸付金（弁済期限が昭和60年３月４日で、未回収となっているもの）とさきに差押えられている定期預金（満期日が昭和60年８月15日のもの）とを同年４月10日に相殺し、その旨を税務署長に通知した。

上記の場合において、税務署長は、乙の請求に応じて建物の差押を解除しなければならないかどうか。また、銀行の相殺の実行によって、差押えた預金の取立ができないこととなるかど

	うか。あわせてその理由も述べなさい。 〔第三問〕 国税滞納処分により財産差押を行なったとき又は財産差押を解除したときにおいて、滞納者以外の者にその差押又は差押解除の通知をしなければならない場合をあげ、通知する相手方および通知を要する理由を述べなさい。 〔第四問〕 国税通則法の規定による徴収の猶予（現在の「納税の猶予」)、換価の猶予および滞納処分の停止のそれぞれについて、租税債権の消滅時効ならびに滞納処分による財産差押との関係を述べなさい。
第８回 （昭和33年度）	〔第一問〕 国税の滞納処分により滞納者の有する不動産に対して昭和59年８月31日に差押、昭和60年７月30日に公売が執行され、その換価代金は330万円であった。 この滞納処分に際して競合している次の租税及び私債権に対して徴収職員が換価代金の配当を行なう場合において、各債権の配当順位及び金額並びに残余金の交付先及び金額はどうなるかを述べなさい。 (1) 滞納処分を行なった租税 法人税(昭和57年５月31日に終了した事業年度の所得に係るもの) 期限内申告分（納期限　昭和57年５月31日）滞納税額100万円 更正による追徴分（納期限　昭和57年11月30日）滞納税額50万円 (2) 交付要求のあった租税 固定資産税（納 期 限　昭和59年７月31日）（交付要求　〃 59年10月30日）滞納税額　10万円 源泉所得税（納 期 限　昭和59年９月30日）（交付要求　〃 60年２月20日）滞納税額　20万円 (3) 抵当権付債権 私債権者が税務署長に提出した登記簿謄本によれば、昭和56年８月31日当該不動産に根抵当権設定（その債権極度額200万円）の登記がされている。 その債権金額は、差押通知時においては70万円であったが、固定資産税の交付要求通知時には60万円、源泉所得税の交付要求通知時には75万円、配当しようとする時においては80万円と

なっている。

(4) 競売開始の決定のあった私債権

この私債権（債権金額60万円）の強制執行のため、すでに滞納処分により差押中の当該不動産に対し強制競売手続開始決定が行われた。そのことを通知するため昭和60年6月15日地方裁判所の強制競売手続開始決定通知書が税務署に送付されている。

（注）各租税及び私債権に係る滞納処分費その他の強制執行費用並びに利子税利息等の附帯債権は考慮を要しないものとする。

〔第二問〕

某収税官吏（現在の「徴収職員」）は、昭和60年6月25日滞納処分により滞納者甲の有する土地及び約束手形を差押え、同日登記その他の所要の手続を終了したのであるが、その後になって次の事実が判明した。

(ア) この土地には売買予約に基づき昭和60年2月1日乙のため所有権移転の請求権保全の仮登記がなされ、次いで同年7月30日売買により甲から乙へ所有権が移転し、同日乙のため所有権移転の本登記が行なわれたこと。

(イ) この約束手形（振出月日……昭和59年6月12日、満期月日……昭和60年9月9日）は、丙が甲を受取人として振出したものであるが、この手形は甲（債権者）と丙（債務者）間の金銭消費貸借契約に際してその支払を確保するために振出されたものであること。

この場合において、次の二点につき簡単に理由を附して答えなさい。

(1) 収税官吏（現在の「徴収職員」）は、この土地の差押を解除しなければならないこととなるのかどうか。

(2) 収税官吏（現在の「徴収職員」）は、この金銭消費貸借に係る債権と約束手形のどちらでも差押をすることができるか。また、同時に両方とも差押をすることができるか。

〔第三問〕

国税の滞納処分による差押に対して再調査又は審査請求がされている場合において、収税官吏（現在の「徴収職員」）がその差押財産の公売を行うことができないこととされている場合を列挙

<table>
<tr><td></td><td>しなさい。
〔第四問〕
　納税告知（繰上徴収（現在の「繰上請求」）に係るものを含む。）、第二次納税義務者に対する納付通知及び督促についてその意義と効果を述べ、あわせて前二者と督促との関係を説明しなさい。</td></tr>
<tr><td>第９回
（昭和34年度）</td><td>〔第一問〕
　次の事項について簡単に述べなさい。
　１．詐害行為取消権
　２．過誤納金の充当
　３．差押の効力発生要件
〔第二問〕
　甲及び乙は、それぞれ次の国税を滞納している。
　甲の滞納している国税
　物　品　税（指定納期限　昭和58年８月31日）70万円
　源泉所得税（指定納期限　昭和60年７月25日）20万円
　乙の滞納している国税
　法　人　税（指定納期限　昭和59年４月25日）90万円
（附記事項　この各税のうち甲の源泉所得税についてだけは、まだ督促がされていない。）
　甲は乙を債務者とする金銭消費貸借に係る債権100万円を有し、乙はこの債権を担保するため自己の所有する土地に抵当権を設定（昭和58年７月１日登記）している。
　この事例に関し、次の問に答えなさい。
１．(一)　甲の滞納している物品税を徴収するため、徴収職員が甲の乙に対する金銭消費貸借に係る抵当権付債権を差し押える場合には、どのような手続が必要であるか。
　(二)　上記一による債権差押がされている場合において、徴収職員が甲の滞納している源泉所得税を強制徴収するためには、どのような手続をとることが必要であるか。
２．(一)　乙がこの差押えられている金銭債権を弁済期に履行しない場合において、差押を執行した徴収職員は、その債権取立のためどのような措置をとることができるか。
　(二)　上記一の措置に基づき乙所有の抵当不動産に対する執行</td></tr>
</table>

	が開始された場合において、徴収職員が乙の滞納している法人税を強制徴収するためにとることができる方法のうち、徴収確保の見地からみて最も適切と認められるものはどのような方法か。 3．上記１及び２の諸措置がとられ、これにより乙所有の抵当不動産が150万円で換価されたものとすると、これらの処分の結果として、甲及び乙の滞納している各国税に対する配当はどのようになるか。 （附記事項　滞納処分費その他の強制執行費及び国税の利子税額又は私債権の利息その他の附帯債権の金額は考慮しないで算すること。） **〔第三問〕** 国税徴収法に規定されている権利救済手続について、次の事項について簡単に説明しなさい。 (1)　再調査と審査の差異および関係 (2)　再調査、審査と訴訟との関係
第10回 （昭和35年度）	**〔第一問〕** 国税徴収の優先権について説明しなさい。 **〔第二問〕** 国税徴収法に規定してある次の事項について簡単に説明しなさい。 １．繰上徴収（現在の「繰上請求」） ２．参加差押 ３．滞納処分の執行の停止 ４．納付委託 ５．保全差押
第11回 （昭和36年度）	**〔第一問〕** 財産の差押について、第三者の権利の保護のため定められている規定の概略を述べなさい。 **〔第二問〕** 次のことがらについて、簡単に説明しなさい。 １．納付通知書による告知 ２．配当計算書 **〔第三問〕**

	次のような事例の場合において、それぞれの国税および抵当権に配当すべき額を記載しなさい。 1．差押にかかる国税（その直接の滞納処分費を除く。）15万円 法定納期限　昭和60年３月15日の申告所得税 差押年月日　昭和60年４月24日 2．交付要求にかかる国税　50万円 法定納期限　昭和59年10月31日の物品税 交付要求年月日　昭和60年５月22日 3．抵当権により担保される債権　100万円 その抵当権の設定登記年月日　昭和60年１月31日 4．直接の滞納処分費　１万円 5．換価代金　130万円
第12回 (昭和37年度)	〔第一問〕 担保の目的でされた仮登記と国税との関係について述べなさい。 〔第二問〕 次のことがらについて簡単に説明しなさい。 No. 1　法人の清算人および残余財産の分配または引渡を受けた者の第二次納税義務 No. 2　国税徴収法の規定により差押を解除しなければならない場合を３つ挙げなさい。 〔第三問〕 下記の設例の場合において、A、B、CおよびDに配当すべき金額とその順位を述べなさい。 A　昭和59年分申告所得税３期分　100,000円 法定納期限　60年３月15日 差押年月日　60年８月29日 B　昭和58年分申告所得税修正申告分　70,000円 修正申告書提出年月日　60年７月10日 差押年月日　60年８月29日 C　根抵当権　債権極度額　1,000,000円 設定登記年月日　60年５月31日 差押の通知のあった日の債権額　300,000円 配当時の債権額　300,000円

	D　直接の滞納処分費　　10,000円 換価代金　　450,000円
第13回 （昭和38年度）	〔第一問〕 滞納者の親族その他の特殊関係者以外の第三者が滞納者の動産を占有している場合の差押手続と差押の効力発生の時期とについて述べなさい。 〔第二問〕 （No. 1）次に掲げる国税の法定納期限はいつか。 (1) 第二次納税義務者として納付すべき国税 (2) 法定納期限前に繰上請求がされた国税 (3) 法定納期限後に更正により納付すべき額が確定した国税 (4) 相続人の固有の財産から徴収する被相続人の国税 （No. 2）国税徴収法の規定による滞納処分の停止の効力等について述べなさい。 〔第三問〕 納税者の財産を滞納処分により換価した場合の次の各債権に対する配当金額を計算しなさい。 滞納処分費……１万円 抵　当　権　　昭和59年12月10日設定登記　70万円 甲　国　税……法定納期限昭和60年３月15日 昭和60年６月10日差押　30万円 乙　国　税……法定納期限昭和59年10月31日 昭和60年７月31日交付要求　80万円 丙 地 方 税……法定納期限昭和60年４月30日 昭和60年７月20日交付要求　40万円 換 価 代 金　　171万円
第14回 （昭和39年度）	〔第一問〕 道路運送車両法の規定により登録を受けた自動車の差押の手続と差押の効力発生時期および参加差押の手続と参加差押にかかる差押の効力発生時期について述べなさい。 〔第二問〕 （No. 1）時価により滞納者から事業を譲り受けた滞納者の親族その他の特殊関係者の第二次納税義務について述べなさい。

	(No. 2) 条件付差押禁止財産について述べなさい。 〔第三問〕 納税者の財産を滞納処分により換価した場合の次の各債権に対する配当金額を計算しなさい。 滞納処分費　5千円 根抵当権　昭和59年12月20日設定登記 配当時の被担保債権額　100千円 差押および交付要求の通知を受けた時の被担保債権額　60千円 甲申告所得税　法定納期限等昭和60年3月15日　40千円 昭和60年7月31日交付要求 乙申告所得税　法定納期限等昭和60年3月31日　35千円 昭和60年7月25日交付要求 丙申告所得税　法定納期限等昭和60年5月10日　50千円 昭和60年7月20日差押え
第15回 (昭和40年度)	〔第一問〕 第二次納税義務制度の概要を説明し、次に掲げる第二次納税義務について、それぞれの第二次納税義務者が負うべき納税義務の範囲を述べなさい。 (1) 共同的な事業者の第二次納税義務 (2) 無償又は著しい低額の譲受人等の第二次納税義務 (3) 清算人等の第二次納税義務 (4) 同族会社の第二次納税義務 〔第二問〕 次に掲げる財産の差押手続について説明しなさい。 (1) 不　動　産 (2) 電話加入権 (3) 自動車登録原簿に登録を受けた自動車 (4) 実用新案権
第16回 (昭和41年度)	〔第一問〕 滞納処分による財産の差押えの効力について述べ、あわせて各種財産の差押えの効力の発生時期について簡記しなさい。 〔第二問〕 滞納処分の換価の猶予と滞納処分の停止について述べなさい。

第17回 （昭和42年度）	〔第一問〕 Ⅰ　納税の猶予および換価の猶予について、それぞれの要件および効果を簡記しなさい。 Ⅱ　国税の滞納処分における差押換えの請求、差押えの解除の請求および交付要求の解除の請求は、それぞれどのような場合にすることができますか。 〔第二問〕 徴収職員が国税の滞納処分のため滞納者（個人）の財産の調査に赴いたところ、次に掲げる財産を発見した。 (1) 宅地１筆。ただし、この宅地には滞納者を設定者とする抵当権が附帯している。 (2) 現　　金 (3) 電話加入権１口。ただし、この電話加入権はすでに地方税の滞納処分によって差し押えられている。 (4) 無記名定期預金１口。 (5) 機械、器具各１点。ただし、この機械、器具は滞納者の親族その他の特殊関係者以外の第三者に賃貸中であり、現在当該第三者がこれを占有している。 上記の財産のすべてについて滞納処分を執行するとしてもなおその徴収すべき額に不足すると認められたので、さらに調査したところ、滞納者が最近（その国税の法定納期限の１年前の日以後）において自己の所有建物を滞納者の親族に無償で譲渡し、その権利移転の登記がされていることが判明した。 以上の場合において、国税の徴収を確保するためにとるべき措置および必要な手続について述べなさい
第18回 （昭和43年度）	〔第一問〕 差押え開始の要件について述べなさい。 〔第二問〕 法定申告期限から１年を経過した日以後に納付すべき税額が確定した国税の徴収上の特例について述べなさい。
第19回 （昭和44年度）	〔第一問〕 第二次納税義務を負わせることができる場合の例を二つあげ、それぞれの第二次納税義務の概要について述べなさい。

	〔第二問〕 　道路運送車輌法の規定により登録を受けた自動車（以下「自動車」という。）の滞納処分につき次の問いに簡単に答えなさい。 1．自動車の差押えはどのようにして行ないますか。 2．自動車の差押えの効力はいつ生じますか。 3．自動車が抵当権の目的となっている場合において、その自動車が差し押さえられたときは、その抵当権者の権利の尊重についてどのような措置が図られていますか。 4．差し押えた自動車を換価した場合の権利移転手続はどのようになっていますか。
第20回 （昭和45年度）	〔第一問〕－50点－ 　国税徴収法上において、次に掲げる場合における国税と被担保債権との調整がどのようになっているか簡単に説明しなさい。 1．納税者が国税の法定納期限等以前にその財産上に質権を設定している場合 2．納税者が抵当権の設定されている財産を譲り受けた場合 3．留置権が納税者の財産上にある場合 〔第二問〕－50点－ 　国税の滞納処分において、次に掲げる財産の差押えの解除の手続はどのようにして行ないますか。 1．動　　　産 2．不　動　産 3．電話加入権
第21回 （昭和46年度）	〔第一問〕－50点－ 　実質課税額等の第二次納税義務について述べなさい。 〔第二問〕－50点－ 　税務署長に対する不服申立てがあった場合における次の事項について述べなさい。 1．徴収の猶予 2．搬出の制限
第22回 （昭和47年度）	〔第一問〕－50点－ 　滞納者の動産を占有している滞納者の親族その他の特殊関係者以外の第三者に対する当該動産の引渡命令について述べ、あわせて、その引渡命令を受けた第三者の権利の保護について説明しな

	さい。 〔第二問〕－50点－ 次のことがらについて簡単に説明しなさい。 1．公売実施の適正化のための公売参加者の制限 2．納税の猶予の取消し
第23回 （昭和48年度）	〔第一問〕－50点－ 納税の猶予、換価の猶予および滞納処分の停止のそれぞれの効果について説明しなさい。 〔第二問〕－50点－ 次のことがらについて説明しなさい。 1．参加差押えの解除の請求 2．滞納処分手続きにおいて、質権により担保されている債権が国税に優先するための証明について
第24回 （昭和49年度）	〔第一問〕－50点－ 担保権付財産が譲渡された後、その担保権から譲渡人の国税を徴収しうる場合について、その要件及び金額並びに主要な手続について説明しなさい。 〔第二問〕－50点－ 滞納者甲の所有する次に掲げる財産の賃借人である乙からその財産が差し押えられたときの使用又は収益に関して相談を受けた場合において、乙に説明すべき内容について述べなさい。 (1) 動　　産 (2) 不 動 産 (3) 建設機械（建設機械抵当法により登記されているもの）
第25回 （昭和50年度）	〔第一問〕－50点－ 譲渡担保財産から納税者（設定者）の国税を徴収できる要件及び徴収手続（譲渡担保財産から徴収する納税者（設定者）の国税が譲渡担保権者の納付すべき国税と競合する場合を含む）について述べなさい。 〔第二問〕－50点－ 担保の提供がされている国税についての納税の猶予が取消された場合における担保の処分について述べなさい。
第26回 （昭和51年度）	〔第一問〕－50点－ ２以上の国税がある場合におけるその国税相互間の優先関係に

	ついて説明しなさい。 〔第二問〕－50点－ 国税の滞納処分において、各種財産の差押えの効力発生時期について述べなさい。
第27回 （昭和52年度）	〔第一問〕－50点－ 滞納処分による差押えができる場合を挙げ、それぞれについて簡単に説明しなさい。 〔第二問〕－50点－ 滞納者が、その滞納国税を納付しないで、その所有不動産を時価に比して著しく低い額の対価により第三者に譲渡した。この場合において、その滞納国税を徴収するためにとることができる方法として考えられるものを挙げ、その方法について簡単に説明しなさい。
第28回 （昭和53年度）	〔第一問〕－50点－ 次に掲げる財産についての滞納処分による差押手続を述べなさい。 1．アパート 2．宝　　石 3．貸 付 金 〔第二問〕－50点－ 国税徴収法において、滞納処分のために認められている財産の調査について説明しなさい。
第29回 （昭和54年度）	〔第一問〕－50点－ 各種第二次納税義務について、それぞれの第二次納税義務者が負う第二次納税義務の限度を述べなさい。 〔第二問〕－50点－ 担保のための仮登記がなされている財産に対する滞納処分の手続、効力等について、抵当権が設定されている財産に対する滞納処分の場合と異なる点を挙げ、それぞれについて簡単に説明しなさい。
第30回 （昭和55年度）	〔第一問〕－50点－ 抵当権の目的となっている財産が国税の滞納処分により差押えられた場合において、その抵当権の被担保債権がその国税に劣後するため、その財産の換価代金から配当を受けられなくなると認

	められるときに、その抵当権者が行なうことができる国税徴収法上認められている手続について説明しなさい。 〔第二問〕－50点－ 納税者甲は、A税務署長から過去3年分の申告所得税の税額を増加させる更正通知書の送達を受けたところであるが、甲は、現在、当面の事業の運転資金に必要不可欠な程度の資金を有するのみで、その更正にかかる納期限までにその税額を納付することが困難な状態である。また、甲は、その更正処分に対して不服申立てをする予定である。 甲としては、その更正に係る税額の納付について、毎月一定額の分割納付をするか、又は、その更正処分についての不服申立ての結論が得られるまで納付しないこととしたいが、その間に、事業の運転資金である現金及び預金に対して滞納処分が執行されることを心配している。この場合において、その滞納処分の執行を受けないために甲が行なうことができる法律上の手続として考えられるものを挙げ、それぞれについて簡単に説明しなさい。
第31回 （昭和56年度）	〔第一問〕－50点－ A税務署長は、滞納者甲株式会社の法人税の滞納税額（300万円）を徴収するため、唯一の財産である山林1筆（評価額500万円）を差押えている。最近、この山林に対し、甲株式会社の債権者乙の申立てにより仮差押えの執行がされた。 A税務署長は近日中に、甲株式会社に対し法人税の税額を250万円増加させる更正をする予定であるが、甲株式会社は休業しており、当該法人税を納期限まではもちろん、その後においても納付することは見込めない状況にある。この法人税の更正処分をした場合において、更正に係る法人税額を保全するため、国税通則法及び国税徴収法の規定によりA税務署長がとるべき措置を挙げ本件の事例に即し、それぞれにつき要件と手続を説明しなさい。 〔第二問〕－50点－ A税務署の徴収職員は、滞納者甲の申告所得税の滞納税額（350万円）を徴収するため、得意先である乙宅に臨場し帳簿書類を検査したところ、甲は乙に対し工事代金500万円の支払請求権（支払期限は、昭和60年8月31日）を有していることが判明した。その際、乙から、「当該工事代金が差押えられた場合には、

	支払期限よりも２ヶ月先の約束手形で支払いたい」旨の申出があった。当該工事代金は、甲の申告所得税に優先する質権等の目的とはなっておらず、また、乙の支払いは確実と認められる。 　Ａ税務署の徴収職員が、当該工事代金につき滞納処分をする場合において、①その差押えの手続、②差押える範囲とその理由、③工事代金の支払請求権を差押えた後における乙の申出に対する措置のそれぞれにつき説明しなさい。 （注）解答に当っては、附帯税及び滞納処分費は考慮しないものとする。
第32回 （昭和57年度）	〔**第一問**〕－60点－ 　次のことがらについて説明しなさい。 １．滞納者以外の者の住居に対する捜索　（20点） ２．滞納者が不動産を贈与した場合における第二次納税義務　（40点） 〔**第二問**〕－40点－ 　滞納者の財産を滞納処分により換価した場合（その換価代金は1,815万円とする。）の次の各債権に対する配当金額について、計算過程を示し答えなさい。 １．公売公告の新聞掲載料（２の差押えに基づく公売のためのもの）　15万円 ２．昭和59年度分申告所得税更正分（更正通知書を発した日　昭和60年８月５日、差押年月日　昭和60年10月20日）　300万円 ３．地方税（法定納期限　昭和59年９月１日、参加差押年月日　昭和60年11月30日）　150万円 ４．公課（納期限　昭和59年７月31日、参加差押年月日　昭和60年11月13日）　100万円 ５．不動産工事の先取特権の被担保債権　150万円 ６．抵当権の被担保債権（甲） （抵当権設定の登記年月日　昭和59年２月25日）　500万円 ７．抵当権の被担保債権（乙） （抵当権設定の登記年月日　昭和59年12月10日）　650万円 ８．売掛金（質権、抵当権、先取特権、留置権又は担保のための仮登記のいずれによっても担保されていな

	い。 強制競売の開始　決定年月日　昭和60年11月20日）　200万円 （注）申告所得税、地方税、公課及び私債権に係る延滞税、利息等の附帯した債権は考慮しないものとする。 〔注意〕答案用紙は、第一問用及び第二問用として別々になっているので注意して解答すること。
第33回 （昭和58年度）	**〔第一問〕**－50点－ 根抵当権により担保される債権と国税との優先関係に関する下記の事項について説明しなさい。 1．優先関係についての判定基準 2．根抵当権により担保される債権の優先限度 3．根抵当権により担保される極度額の増額の登記 4．根抵当権付財産の譲渡 **〔第二問〕**－50点－ 滞納者Ｘの清算人Ｙは、徴収職員Ａから、滞納者Ｘの財産状況に関する調査を受けた。その際、清算人Ｙが徴収職員Ａに説明した事項は、次のとおりである。 1．滞納者Ｘは、法人税（300万円）を納付することなく、株主総会で解散の決議をしている。 2．清算人Ｙは、解散の決議後、現金200万円を株主甲に150万円、株主乙に50万円、それぞれ分配した。 3．調査日現在における滞納者Ｘの残余財産は、土地１筆（滞納に係る法人税に優先する抵当権が設定されており、その法人税に配当される見込みはない）と備品（30万円）だけである。 4．滞納者Ｘとしては、上記のような事情から、滞納に係る法人税は一部（30万円）しか納付できない。 ところで、清算人Ｙらは、徴収職員Ａから、上記２の200万円につき追及を受けることが考えられる。清算人Ｙらが、国税徴収法に定めるところによりどのような追及を受けるのか、その内容につき理由を付して説明しなさい。 〔注意〕答案用紙は、第一問用及び第二問用が別々になっているので注意して解答すること。
第34回 （昭和59年度）	**〔第一問〕**－50点－ 次に掲げる財産の差押手続と差押えの効力発生時期について説

	明しなさい。 (1) 独立した家屋 (2) 有限会社の社員の持分 **〔第二問〕**－50点－ 国税の納税義務が確定する前において、国税債権を確保するために認められている措置とその要件について説明しなさい。 〔注意〕答案用紙は、第一問用及び第二問用が別々になっているので注意して解答すること。
第35回 (昭和60年度)	**〔第一問〕**－50点－ 次のことがらについて説明しなさい。 1．不動産売買の先取特権によって担保される債権と国税との優先関係 (10点) 2．財産を差し押さえた場合の果実に対する差押えの効力 (10点) 3．捜索の立会人 (10点) 4．納税の猶予の効果（延滞税の免除を除く。） (20点) **〔第二問〕**－50点－ 次の設例の場合において、Aの所轄税務署長が、不動産の売却代金からAの滞納国税を徴収する場合の措置と要件と手続を述べ、徴収できる金額を計算過程を示して答えなさい。 (注) 徴収できる金額の算定に当たっては、強制競売の費用、被担保債権の利息、遅延損害金、滞納国税の延滞税等は一切考慮する必要はない。 〔設例〕Aは、昭和58年分申告所得税 （確定申告分）500万円を滞納しているが、昭和59年５月１日、その所有不動産（以下「不動産」という。）をBに譲渡した。不動産には、抵当権の設定登記（抵当権者C、被担保債権額1,000万円、設定登記年月日昭和59年１月25日）及び担保のための仮登記（仮登記権利者D、被担保債権額900万円、仮登記年月日昭和59年４月16日）がされていた。 昭和60年２月１日、Bの債権者E（債権額300万円）の申立てにより不動産について強制競売が行われ、買受人Fは、売却代金2,100万円をG執行裁判所へ納付した。
第36回	**〔第一問〕**－40点－

(昭和61年度)	滞納処分による差押えをすることができる場合について説明しなさい。 〔第二問〕－60点－ 第三者が差押換えの請求をする場合の要件及び手続並びにその請求が認められなかった場合の当該第三者の権利保護措置について説明しなさい。
第37回 (昭和62年度)	〔第一問〕－60点－ 換価に際しての担保権の消滅と引受けについて説明しなさい。 〔第二問〕－40点－ 納税の猶予の取消しができる場合及びその手続について説明しなさい。
第38回 (昭和63年度)	〔第一問〕－50点－ 1．下記財産を差し押さえた場合の差押えの効力の発生時期について説明しなさい。　(25点) (1) 株　券 (2) 売掛金 (3) 建　物 (4) 特許権 (5) 電話加入権 2．滞納処分の停止の要件及び滞納処分の停止をした場合の納税義務について説明しなさい。　(25点) 〔第二問〕－50点－ 滞納者の差押不動産を換価（換価代金30,200千円）した場合において、次に掲げる国税、地方税及び被担保債権等に対する配当金額を、計算過程を示して答えなさい。 (1) 差押国税（法定納期限等　昭和61年12月12日 差押年月日　昭和62年4月5日）　6,000千円 (2) 参加差押地方税（法定納期限等　昭和61年10月16日 参加差押年月日　昭和62年6月16日）　4,000千円 (3) 参加差押地方税（法定納期限等　昭和60年9月30日 参加差押年月日　昭和63年2月1日）　7,000千円 (4) 不動産保存の先取特権にかかる被担保債権 (先取特権の登記年月日　昭和62年4月1日）　5,000千円 (5) 抵当権の被担保債権（抵当権設定の登記年月日

	昭和60年12月12日） 3,000千円 (6) 抵当権の被担保債権（抵当権設定の登記年月日 昭和61年11月18日） 8,000千円 (7) 換価不動産にかかる直接の滞納処分費 200千円 （注）配当金額の計算に当たっては、国税、地方税及び被担保債権の延滞税、利息等の附帯した債権は一切考慮する必要はない。
第39回 （平成元年度）	〔第一問〕－60点－ 1．次のことがらについて説明しなさい。 (30点) (1) 強制換価の場合の消費税等の優先 (2) 滞納者の財産につき、滞納処分を執行してもなおその徴収すべき国税に不足すると認められるときの徴収上の措置 (3) 差押換の請求 2．国税徴収法第五章（滞納処分）第二節の交付要求と参加差押えの異同について説明しなさい。 (30点) 〔第二問〕－40点－ 滞納者甲の平成元年８月分の給料について、国税徴収法第76条により差押えが禁止される金額を、次の資料に基づき、給料の各支払先別に計算過程を示して答えなさい。 なお、計算の結果、円未満の端数が生じたときは切り捨てなさい。 〔資料１〕 滞納者甲（年令50歳）の滞納税額　昭和63年分申告所得税 860,000円 甲の昭和63年分確定申告における所得の種類　給与所得及び一時所得 （注）給料の支払先はA株式会社及びB株式会社である。 給料の差押えに関する滞納者の承諾　なし 〔資料２〕 同居の家族の状況　妻　乙（無職・婚姻の届出なし） 長男丙（会社員・年収2,800,000円） 長女丁（大学生） 〔資料３〕

	A株式会社からの給料支給見込額等(平成元年８月分)　総支給額　441,000円 総支給額から控除される源泉徴収にかかる所得税　23,500円 総支給額から控除される特別徴収に係る住民税　24,700円 同　上　社会保険料　42,800円 〔資料４〕 B株式会社からの給料支給見込額等(平成元年８月分)　総支給額　178,000円 総支給額から控除される源泉徴収に係る所得税　15,200円 同　上　社会保険料　12,800円
第40回 (平成２年度)	**〔第一問〕** －60点－ １．次のことがらについて説明しなさい。 (1)　清算人等の第二次納税義務 (2)　捜索する場合の出入禁止 (3)　質権者等に対する差押えの通知 ２．税務署長が差押えを行った財産について、その差押えを解除しなければならない場合を列挙し、また、このうち税務署長が担保の提供を受けたことに基づき差押えを解除しなければならない場合について簡単に説明しなさい。 **〔第二問〕** －40点－ 甲は、昭和63年分申告所得税（確定申告分）6,000千円を滞納しているが、平成元年12月１日、その所有する宅地Xを乙に譲渡した。宅地Xには次の者を権利者とする各抵当権が設定されている。 (1)　A税務署長（設定登記　平成元年４月20日、被担保債権額5,000千円） この抵当権は、甲の知人丙が、その滞納国税(昭和62年分申告所得税につき、平成元年４月３日に修正申告したもの）について、納税の猶予の担保として設定されたものであり、登記簿上の権利者は「大蔵省（現在、財務省)」と表示されている。 (2)　B銀行（設定登記　平成元年６月２日、被担保債権額4,000千円） (3)　C銀行（設定登記　平成元年９年11日、被担保債権額5,000千円） (4)　D信用金庫（設定登記　平成元年10月27日、被担保債権額3,000千円）

	その後、宅地Xについては、平成２年５月８日、乙の債権者Ｅ（債権額8,000千円）の申立てにより強制競売が行われ、買受人丁が買受け、その売却代金18,000千円をＹ裁判所に納付した。 この場合において、甲の所轄税務署長Ｆが、宅地Xの売却代金から甲の滞納国税を徴収する場合の要件と手続を述べ、徴収できる金額を計算過程を示して答えなさい。 （注）計算に当たっては、強制競売の費用、被担保債権の利息、遅延損害金、延滞税及び被担保債権額の変動については一切考慮する必要はない。
第41回 （平成３年度）	**〔第一問〕**－70点－ １　次のことがらについて簡潔に説明しなさい。　（20点） (1) 差押えの要件 (2) 財産調査の質問及び検査 ２　不服申立てと国税の徴収との関係について述べなさい。　（25点） ３　換価の猶予の効果について述べなさい。　（25点） **〔第二問〕**－30点－ 滞納者甲は、平成元年分申告所得税第二期分（納期限・平成元年11月30日）の予定納税額200万円と平成元年分申告所得税確定申告分（納期限・平成２年３月15日）の納税額150万円を滞納していた。 Ｘ税務署長は、滞納者甲の申告所得税の滞納税金を徴収するため財産調査に着手したところ、既にＹ税務署長が滞納物品税徴収のため差押え（平成２年３月１日・差押登記）している不動産があった。滞納者甲には、当該不動産以外に財産がないので、Ｘ税務署長は、当該不動産について参加差押え（平成２年６月２日・参加差押登記）をした。その後、Ｚ県税事務所長は、滞納県民税徴収のために平成２年６月８日Ｙ税務署長に対し交付要求をした。更に、Ｗ社会保険事務所長が滞納社会保険料徴収のため参加差押え（平成２年７月27日・参加差押登記）をし、Ｖ町長も滞納町民税（Ⅰ・Ⅱ）徴収のため参加差押え（平成２年11月13日・参加差押登記）をした。 Ｙ税務署長は、差押えに係る物品税が完納したため、平成２年12月３日に差押えを解除した。そこでＸ税務署長は、平成３年５

月13日に当該不動産を換価代金1,560万円で公売に付した。この公売に当たり、当該不動産の評価を不動産鑑定士に依頼し、鑑定料10万円を支払っている。

X税務署長は、換価代金を各債権に交付しなければならないが、その交付すべき配当金について、計算過程を示して答え、また、配当金を交付するに当たり、措置すべきことがあればその旨を簡記しなさい。

なお、Z県民税、W社会保険料、V町民税の滞納金額の内容等及び抵当権の権利関係については、次のとおりである。

Z県民税　法定納期限等　昭和63年12月20日　100万円
W社会保険料　法定納期限等　昭和63年11月30日　150万円
V町民税（Ⅰ）法定納期限等　平成元年５月31日　100万円
V町民税（Ⅱ）法定納期限等　平成２年１月31日　350万円
乙抵当権の被担保債権　平成元年２月20日設定登記　500万円
仮登記がなされている丙抵当権の被担保債権
平成元年11月22日設定登記　300万円
丁抵当権の被担保債権　平成２年２月８日設定登記　200万円

（注）計算に当たっては、被担保債権の利息、遅延損害金、延滞税（金）及び被担保債権の変動については、一切考慮する必要はない。

第42回
（平成４年度）

〔第一問〕－70点－

1．Y税務署の徴収職員Xは、滞納者甲の平成２年分の確定申告に係る申告所得税800万円を徴収するため、甲宅へ臨場し、甲を立会に居宅内を捜索した。その結果、約束手形１枚（額面300万円）、公正証書１通（Aに対する貸付金1,000万円に関する内容のもの）、宝石１点（時価500万円相当、専ら妻が使用している。）が発見された。

この場合、各財産に対して行なわれるべき差押えの方法について述べなさい。　(30点)

2．Y税務署の徴収職員Xは、滞納者甲の平成元年分の申告所得税120万円(平成２年４月16日にY税務署長へ申告）を徴収するため、調査したところ、①甲は、鉄工業の経営に失敗し、多額の借金があるため、既に行方不明となっていること、②滞納処分ができる財産が残っていないこと、及び③甲所有の不動産（土地・工場）が、平成元年４月10日に甲の知人乙へ売却されていることが判明した。

また、乙に売却された不動産について調査したところ、乙は①当該不動産を甲から620万円（適正価額は、1,200万円相当と認められる。）で取得していること、②当該不動産を平成元年5月22日に丙不動産会社へ1,200万円で転売していること、③当該不動産を取得するに当たり、登記料60万円、不動産取得税3万円、仲介手数料31万円を支出していることが判明した。

この場合、甲の滞納国税を徴収する手続（徴収する方法、徴収の制限及び徴収できる金額の範囲を含む。）について、具体的に理由を付して述べなさい。（40点）

（注）滞納国税の附帯税について、一切考慮する必要はない。

〔第二問〕－30点－

滞納者甲は、平成元年分の申告所得税の修正申告書を平成2年5月31日にＹ税務署長に提出したが、当該修正申告に係る納税額80万円を滞納した。

Ｙ税務署長は、甲が一括に納付することが困難であると認められたので、甲の知人乙を保証人として、猶予期間3か月間の換価の猶予を行った。

しかし、甲が換価の猶予を履行しないので、Ｙ税務署長は、乙に甲の滞納国税を納付することを告知するため、納付通知書（納付の期限平成2年12月21日）を平成2年11月21日に発付した。乙も納付の期限までに納付しないので、Ｙ税務署長の徴収職員Ｘは、差押えの前提手続を経た後、平成3年2月21日に乙に帰属する動産を差し押さえた。当該動産には、乙を設定者とする質権（質権者Ａ、被担保債権100万円、設定年月日平成2年3月20日）及び根質権（根質権者Ｂ、被担保債権極度額40万円、設定年月日平成2年9月11日、差押通知時の債権額10万円、換価代金の配当時の債権額30万円）が設定されていた。

Ｙ税務署長が、差押動産を換価（換価代金200万円）するに当たり、質権者Ａからは、質権設定契約書が、根質権者Ｂからは、公正証書による根質権設定契約書が、それぞれ質権設定の事実を証する書面として、Ｙ税務署長に提出された。

この場合、動産の換価代金の配当額について、計算過程を示して答えなさい。

（注）配当額の計算に当たっては、滞納国税の附帯税、直接の滞

	納処分費、被担保債権の利息、遅延損害金等は一切考慮する必要はない。
第43回 （平成5年度）	**〔第一問〕**－50点－ 納税者の財産について国税の滞納処分による差押えが行えるのは、一般的には「督促状を発した日から起算して10日を経過した日」より後であるが、このような一般的な差押えを行うことができるときより早い時期に滞納処分による差押えを行うことができるのは、どのような措置をとった場合か、各措置の趣旨と要件について述べなさい。 **〔第二問〕**－50点－ 次の設例の場合において、甲税務署長が、本件不動産から納税者Aの滞納国税を徴収する場合の措置について、要件と手続を述べるとともに、本件不動産が公売により1,300万円で売却された場合の換価代金の配当額について、計算過程を示して答えなさい。 〔設例〕 甲税務署の徴収職員が、納税者Aの平成2年分確定申告（期限内申告）に係る申告所得税300万円を徴収するため、その財産調査を行ったところ、Aは、その唯一の財産である本件不動産を平成3年8月31日、乙税務署管内に住所を有する知人Bに譲渡担保として提供し、同日、その旨の所有権移転登記を了していること及び当該不動産には、その後①C抵当権の設定（平成3年12月10日登記）、②乙税務署長の差押（平成4年6月12日登記）、③丙県税事務所長の参加差押（平成4年7月25日登記）がなされていることが判明した。 なお、C抵当権、乙税務署長及び丙県税事務所長の権利の内容等は次のとおり。 C抵当権　平成3年12月10日設定登記　債務者B　債権額500万円 乙税務署長　法定納期限等平成4年3月15日　滞納者Bの滞納処分　滞納額400万円 丙県税事務所長　法定納期限等平成3年10月6日　滞納者Bの滞納処分　滞納額600万円 （注）計算に当たっては、附帯税、滞納処分費、利息、損害金等は、一切考慮する必要はない。
第44回 （平成6年度）	**〔第一問〕**－60点－ 1　個人である滞納者が株式会社を設立し自己の財産を適正価額で現物出資している場合において、当該株式会社から滞納者の国税

	を徴収するためにはどのような要件が必要か説明しなさい（徴収できる範囲についても言及のこと。）。 　また、当該株式会社に対して差押処分を開始するまでの必要な手続についても併せて説明しなさい。（45点） 2　課税が遅延した場合の納税の猶予の要件について説明しなさい。（15点） 〔第二問〕－40点－ 　納税保証人の所有する不動産上にある根抵当権の被担保債権が、保証人として納付すべき国税に優先するのは、どのような場合であるかについて説明しなさい（優先額の限度についても言及のこと。）。
第45回 （平成7年度）	〔第一問〕－40点－ 　国税徴収法において滞納処分のために認められている捜索について述べなさい。 〔第二問〕－60点－ 　滞納者が死亡し、相続が開始された場合を前提として、次の小問に答えなさい。 1　①滞納者の死亡前に既にされていた滞納者の財産に対する滞納処分の効力、及び②滞納者の死亡後に滞納者名簿の財産に対してした差押えの効力について、それぞれ説明しなさい。 2　相続人が複数いる場合において、①各相続人が承継する国税の額はどのように計算されるか。また、②各相続人は、他の相続人が承継した国税の額についてどのような内容の責任を負うかについて、それぞれ説明しなさい。 3　被相続人の国税につき、納付義務を承継した相続人に対して差押処分を行なう場合、あるいは行った場合に、国税徴収法上、相続人の権利の保護につき、どのような措置が設けられているか説明しなさい。 4　被相続人の国税（同人の死亡前に更正処分により納付すべき税額が確定した国税）について、納付義務を承継した相続人に対して差押処分を執行した結果、差押財産上の抵当権と競合した場合の、差押国税と抵当権の被担保債権の優劣の判定について、①差押財産が相続財産である場合と、②差押財産が相続人の固有の財産である場合とに分けて説明しなさい。
第46回	〔第一問〕－60点－

(平成８年度)

1　次のことがらについて簡潔に説明しなさい。　(30点)

(1) 留置権の優先

(2) 果実に対する差押えの効力

(3) 随意契約により売却できる場合

2　納税の猶予の効果について述べなさい。　(30点)

〔第二問〕－40点－

甲税務署長は、納税者乙の平成６年分申告所得税第二期分（法定納期限：平成６年11月30日）80万円と平成６年分申告所得税更正分（納期限：平成７年７月10日）100万円を徴収するため、平成７年９月20日、乙所有不動産の差押えを行った。

この差押えを行った甲税務署長に対して、平成７年９月27日、Ａ社会保険事務所長により交付要求、同年10月４日、Ｂ県税事務所長により参加差押え、同年10月５日、Ｃ市長により参加差押えが行われた。また、差押不動産には、Ｄ、Ｅ及びＦによる抵当権並びに丙税務署長による乙の源泉徴収に係る所得税（平成７年７月11日納税告知分）についての抵当権が設定されている。その概要は次のとおりである。

Ａ社会保険事務所長	社会保険料	350万円	法定納期限等	平成６年９月10日
Ｂ県税事務所長	県　民　税	300万円	法定納期限等	平成７年８月31日
Ｃ市長	市　民　税	150万円	法定納期限等	平成７年６月22日
Ｄ	被担保債権額	120万円	設定(登記日)	平成６年９月30日
Ｅ	被担保債権額	200万円	設定(登記日)	平成７年１月25日
Ｆ	被担保債権額	180万円	設定(登記日)	平成７年６月25日
丙税務署長	被担保債権額	110万円	設定(登記日)	平成７年８月27日

甲税務署長は、平成７年11月５日差押不動産を公売し、買受人から換価代金1，100万円を受領した。この場合の各債権者に対する換価代金の配当額について計算過程を示して答えなさい。

なお、公売に際し差押不動産の評価を不動産鑑定士に依頼し、鑑定料30万円を支払っている。

(注) 配当額の計算に当たっては、滞納国税等の附帯税、抵当権の被担保債権額の利息、遅延損害金等は一切考慮する必要はない。

第47回
(平成９年度)

〔第一問〕－70点－

1．次のことがらについて説明しなさい。(40点)

(1) 国税に優先する抵当権の被担保債権額の限度

	(2) 共同的な事業者の第二次納税義務 (3) 保険に附されている財産に対する差押えの効力 (4) 国税徴収法上の法定地上権の設定 2．差押財産の換価が制限される場合を挙げ、それぞれについて説明しなさい。(30点) 〔第二問〕－30点－ 次の設例において、差押財産の換価に伴う各債権者に対する換価代金の配当額を計算過程を示して答えなさい。 1．A税務署長は、滞納者Bの平成6年分申告所得税更正分（滞納額240万円、法定納期限等平成7年9月6日）を徴収するため、平成9年3月25日、B所有不動産の差押えを行った。その後、当該差押えを行ったA税務署長に対して、同年3月27日、C社会保険事務所長による参加差押え（社会保険料、滞納額250万円、法定納期限等平成8年10月31日）、同年4月11日、D市長による交付要求（市民税、滞納額200万円、法定納期限等平成8年12月2日）が行われた。 2．差押不動産の上記以外の権利関係は、次のとおりである。 (1) 平成7年9月20日、抵当権設定登記、抵当権者E、被担保債権額300万円 (2) 平成8年11月5日、売買を原因としてBに所有権移転登記 (3) 平成8年11月8日、抵当権設定登記、抵当権者F、被担保債権額400万円 (4) 平成9年1月24日、抵当権設定登記、G県税事務所長、被担保債権額120万円（県民税、法定納期限等平成8年12月2日） 3．A税務署長は、平成9年6月20日、差押財産を公売し、買受人から換価代金1,100万円を受領した。この公売に際し差押不動産を不動産鑑定士に依頼し、鑑定料30万円を支払っている。 （注）配当額の計算に当たっては、利息、遅延損害金、延滞税、各債権者の債権額の変動等は、一切考慮する必要はない。
第48回 （平成10年度）	〔第一問〕－70点－ 1　次のことがらについて説明しなさい。 (1) 譲渡担保権者の物的納税責任追及の要件及び滞納処分執行の手続 (2) 第三者が占有する動産等の差押手続 (3) 次順位買受申込者の決定　(30点)

	2　差押えを解除しなければならない場合及び差押えを解除することができる場合について説明しなさい。　(20点) 3　国税徴収法に定められている滞納処分に関する不服申立て等の期限の特例について説明しなさい。　(20点) **〔第二問〕**－30点－ 次の設例において、差押財産の換価に伴う各債権者に対する換価代金の配当額を計算過程を示して答えなさい。 1　滞納者Aは、平成８年分申告所得税確定申告分300万円（法定納期限等平成９年３月17日）を滞納しているが、唯一の所有財産である土地を、平成９年10月６日、Bに譲渡した。当該土地には、次の抵当権の設定登記がされている。 (1) 平成８年６月５日、抵当権設定登記、抵当権者C、被担保債権額　500万円 (2) 平成９年４月７日、抵当権設定登記、抵当権者D、被担保債権額　200万円 2　甲税務署長は、平成９年11月６日、Bの滞納国税（平成７年分申告所得税確定申告分150万円、法定納期限等平成８年３月15日）を徴収するため、当該土地を差し押さえた。 3　甲税務署長の差押えに対して、平成９年11月14日、乙市長からBの市民税（滞納額120万円、法定納期限等平成８年１月31日）による交付要求、同月18日、丙税務署長からAの国税による交付要求がそれぞれ行われた。 4　甲税務署長は、平成10年２月17日、差押土地を公売し、買受人から換価代金850万円を受領した。この公売に際し、差押不動産の評価を不動産鑑定士に依頼し、鑑定料を30万円支払っている。 （注）配当額の計算に当たっては、利息、遅延損害金、遅滞税、各債権者の債権額の変動は、一切考慮する必要はない。
第49回 （平成11年度）	**〔第一問〕**－70点－ 1　次の事柄について簡潔に説明しなさい。 (1) 人格のない社団等に係る第二次納税義務 (2) 交付要求の要件、手続及び効果 (3) 滞納処分費 (4) 滞納処分を免れる行為に対する罰則　(40点) 2　財産を差し押さえることができない場合について説明しなさい。　(30点)

	〔第二問〕－30点－ 次の設例において、差押財産の換価に伴う各債権者に対する換価代金の配当額を、計算過程を示して答えなさい。 1　A税務署長は、滞納者Bの滞納国税（平成９年分申告所得税更正分850万円、納期限平成10年７月１日）を徴収するために、平成10年８月20日、土地１筆、建物１棟を差し押さえた。 2　差押えに係る不動産には、次の抵当権が設定されている。 (1) 平成10年４月21日登記、抵当権者C、被担保債権額3,000万円 (2) 平成10年６月15日登記、抵当権者D、被担保債権額1,500万円 3　A税務署長の差押えに対して、平成10年８月24日、E社会保険事務所長の交付要求（滞納額300万円、法定納期限等平成10年４月８日）、同年８月25日、F県税事務所長の交付要求（滞納額120万円、法定納期限等平成10年６月30日）、同年８月28日、G市長の交付要求（滞納額200万円、法定納期限等平成10年４月15日）がそれぞれ行われた。 4　A税務署長は、差押えに係る不動産を公売し、買受人から換価代金4,400万円を受領した。 （注）配当額の計算に当たっては、利息、遅延損害金、延滞税及び各債権者の債権額の変動は一切考慮する必要はない。
第50回 （平成12年度）	〔第一問〕－70点－ 1　次の事柄について簡潔に説明しなさい。 (1) 清算人等の第二次納税義務の成立要件とその限度 (2) 換価の猶予ができる場合の要件 (3) 滞納処分の引継ぎができる場合の要件と事後手続　（30点） 2　法定納期限等について説明しなさい。　（20点） 3　国税滞納処分における差押えの効力発生時期について説明しなさい。　（20点） 〔第二問〕－30点－ 次の設例において、滞納者甲の平成12年８月分の給料について、国税徴収法第76条により差押えが禁止される金額を、給料の支払先別に計算過程とその根拠を示して答えなさい。 なお、計算の結果、千円未満の端数が生じても、切捨てや切上げ等の処理を行わずに答えなさい。

	1　A株式会社及びB株式会社からの給料によって生計を営んでいる甲は、平成11年分の申告所得税1,100,000円を滞納している。 2　甲は、妻乙及びC株式会社に勤務し月260,000円の給与収入を得ている長女丙と生計を一にしているほか、他県に住んでいる大学生の長男丁に仕送りを行っている。 　なお、乙及び丁は何ら収入を得ておらず、甲は給料の差押えについて何ら承諾をしていない。 3　平成12年8月において、甲がA株式会社及びB株式会社から受け取る給料の支給額等は、以下のとおりである。 (1)　A株式会社 総　支　給　額　446,000円 総支給額から控除される源泉徴収に係る所得税　21,800円 総支給額から控除される特別徴収に係る住民税　25,100円 総支給額から控除される社会保険料　39,100円 (2)　B株式会社 総　支　給　額　164,000円 総支給額から控除される源泉徴収に係る所得税　12,500円 総支給額から控除される社会保険料　11,500円
第51回 （平成13年度）	〔第一問〕－70点－ 1　次の事柄について簡潔に説明しなさい。 (1)　国税徴収法の目的 (2)　同族会社の第二次納税義務 (3)　滞納処分の停止の要件とその効果　(30点) 2　公売保証金について説明しなさい。　(20点) 3　以下の設例において、差押えができる財産についての差押手続と差押えに付随して行う手続を述べなさい。なお、差押え後の公売及び取立手続について述べる必要はありません。 〔設例〕 (1)　貿易業を営むA有限会社の役員である甲は、平成12年分の申告所得税125万円を滞納している。 (2)　甲は、平成3年6月1日、東京都B区に所在する土地建物を8,000万円で購入し、以後この建物を自宅として使用しているが、購入資金のうち6,500万円はC銀行からの借入れによって支払ったので、上記土地建物にはC銀行を債権者とす

る抵当権が設定されている。なお、上記土地建物の現在の評価額は約5,000万円であり、C銀行からの借入残高は4,900万円である。

(3) 甲の自宅に設置してある電話の電話加入権は甲名義となっているが、甲が使用している自動車はローンを完済していないため、D自動車販売会社名義のまま（所有権留保）となっている。

(4) 平成13年7月25日、徴収職員は、甲の妻を立会人として甲の自宅を捜索し、甲が使用している机の引出しの中から現金5万円とF生命保険会社が発行した甲を被保険者とする生命保険証券、G損害保険会社が発行した自宅建物についての火災保険証券を発見した。なお、上記生命保険の契約者及び被保険者は甲で、保険期間は20年、満期時に100万円が、甲の死亡時に2,000万円が支払われることとなっており、満期保険金の受取人は甲、死亡保険金の受取人は甲の妻と指定されている。また、保険期間中に保険契約を解約した場合には、支払った保険料のうちから、保険会社の定める方法によって計算した金額が返戻される旨の特約が付されている。

(20点)

〔第二問〕－30点－

次の設例において、差押財産の換価に伴う各債権者に対する換価代金の配当金を、計算過程とその根拠を示して答えなさい。

1　A税務署長は、甲株式会社の滞納国税（平成10年4月1日から平成11年3月31日までの事業年度に係る法人税の更正分370万円、納期限平成12年12月20日）を徴収するため、平成13年2月15日、甲株式会社が所有する不動産を差し押さえた。

2　上記不動産には、次の抵当権が設定されている。

(1) 平成12年6月1日抵当権設定登記、抵当権者B、被担保債権額2,000万円

(2) 平成12年8月25日抵当権設定登記、抵当権者C、被担保債権額3,500万円

(3) 平成13年1月18日抵当権設定登記、抵当権者財務省、被担保債権額200万円

なお、上記(3)の抵当権の被担保債権は、甲株式会社の支店において支払った給料に係る源泉所得税の本税並びに不納付加算

	税及び延滞税であり、その納期限は、その納税地を所轄するＤ税務署長が送達した納税告知書において平成12年９月20日とされたものである。 ３　Ａ税務署長の差押えに対して、平成13年３月１日にＥ社会保険事務所長の交付要求（滞納額300万円、法定納期限等平成12年３月31日）が、同月５日にＦ市長の交付要求（滞納額250万円、法定納期限等平成12年11月30日）が、同月15日にＧ県税事務所長の交付要求（滞納額100万円、法定納期限等平成12年８月15日）がそれぞれ行われたほか、同月22日、Ｄ税務署長から上記２の(3)記載の国税を徴収するための交付要求が行われた。 ４　Ａ税務署長は、差押えに係る上記土地建物を公売し、買受人から4,000万円を受領した。なお、公売を行うに当たり、不動産鑑定士に上記土地建物の鑑定評価を依頼し、30万円を鑑定料として支払った。 （注）配当額の計算に当たっては、利息、遅延損害金、延滞税及び延滞金並びに各債権者の債権額の変動は一切考慮する必要はない。
第52回 （平成14年度）	**〔第一問〕**－80点－ １　次の事柄について簡潔に説明しなさい。 (1)　合名会社等の社員の第二次納税義務 (2)　徴収職員の質問検査権　（20点） ２　税法において規定されている国税の納付義務の承継について説明しなさい。　（30点） ３　甲は、Ａとの間で、月額の賃料を25万円とする機械の賃貸借契約を締結し、１年間の賃料を前払した上で、その機械を借りて自己の事業の用に供している。 Ａが国税を滞納した場合に、上記機械を差し押さえるための手続と、甲の権利の保護を図るための措置について、説明しなさい。 なお、甲は、国税徴収法施行令第13条に規定する滞納者の親族その他の特殊関係者ではない。　（30点） **〔第二問〕**－20点－ 次の設例において、差押財産の換価代金についての各債権者に対する配当額を、計算過程とその根拠を示して答えなさい。 １　Ａ税務署長は、滞納者甲の滞納国税（平成７年分の申告所得

	税の決定分400万円、納期限平成10年10月16日）を徴収するため、平成11年１月25日、滞納者が所有する不動産を差し押さえた。 ２　上記不動産には、平成10年６月１日付けで、権利者をＢとする極度額4,000万円の根抵当権設定登記がされていたので、Ａ税務署長は、Ｂに対し、差押えをした旨を通知し、その通知書は、平成11年１月27日にＢに送達された。 なお、この時における上記不動産によって担保されるＢの滞納者に対する債権額は、3,200万円であった。 ３　Ｃ市長は、滞納者甲の滞納地方税（滞納額240万円、法定納期限等平成11年７月31日）を徴収するため、平成12年４月10日、上記不動産について参加差押えをし、Ｂに対し、参加差押えをした旨を通知した。 なお、この参加差押えをした旨の通知書がＢに送達された時における上記不動産によって担保されるＢの滞納者に対する債権額は4,200万円であった。また、上記不動産については、平成11年８月５日付けで、極度額を5,000万円とする極度額増額の登記がされていた。 ４　Ａ税務署長は、平成14年４月９日、上記不動産を公売し、買受人から4,500万円を受領し、Ｂからは上記不動産に設定された根抵当権によって担保されるＢの滞納者に対する債権額が4,800万円である旨の債権現在額申立書が、Ｃ市長からは上記参加差押えに係る滞納地方税額が240万円である旨の債権現在額申立書が、それぞれ提出された。 なお、このときにおける滞納国税の額は、400万円である。 （注）上記不動産によって担保されるＢの滞納者に対する債権については、利息は生じないものとし、公売期日から配当期日まで、各債権の額は変動しないものとする。
第53回 （平成15年度）	**〔第一問〕**－60点－ １　次の事柄について、説明しなさい。（30点） (1) 交付要求と参加差押えの要件、手続及び効力の相違点 (2) 滞納者が有する信用金庫の持分の差押手続と払戻請求 ２　国税に関する法律に基づく処分についての取消しを求める不服申立て及び訴訟提起がされた場合、当該処分によって納付すべき税額が確定した又は徴収しようとする国税の徴収と不服申

立て及び訴訟との関係について述べなさい。（30点）

〔第二問〕－40点－

次の設例の場合において、甲税務署長が本件不動産から納税者Aの滞納国税を徴収できる場合の要件と徴収する場合の手続を述べるとともに、本件不動産が公売により1,900万円で売却された場合の換価代金の配当額について、計算過程を示して答えなさい。

〔設例〕

納税者Aは、更正により納付すべき税額が確定し、その納期限が平成14年８月30日である平成13年分の申告所得税500万円を滞納している。甲税務署の徴収職員が上記滞納国税を徴収するため、その財産調査を行ったところ、Aはその唯一の財産である本件不動産を、平成14年８月20日、乙税務署管内に住所を有する知人Bに譲渡担保として提供し、同日その旨の所有権移転登記を了していることが判明した。

また、本件不動産には、平成14年10月１日付けで、債務者をB、債権者をCとし、債権額を1,000万円とする抵当権の設定登記がされているほか、乙税務署長による差押え及び丙市長による参加差押えの登記がされている。

なお、乙税務署長による差押えは、Bが平成14年10月28日にした修正申告によって納付すべき税額が確定した申告所得税400万円を徴収するために行われたものであり、差押えの登記年月日は、平成15年２月５日である。また、丙市長による参加差押えは、法定納期限等が平成14年９月２日である滞納地方税300万円を徴収するために行われたもので、その登記年月日は、平成15年５月27日である。

（注）配当額の計算に当たっては、附帯税、滞納処分費、利息、損害金等は、一切考慮する必要はなく、配当時まで各債権額に変動はないものとする。

第54回（平成16年度）

〔第一問〕－60点－

1　国税の徴収の所轄庁について説明しなさい。（30点）

2　以下の設例において、考えられる滞納国税の徴収方途と徴収見込額について、その根拠を示して述べなさい。なお、その徴収手続について述べる必要はない。（30点）

〔設例〕

1　建設業を営む甲株式会社は、徐々に経営状態が悪化するとともに、継続的な受注が見込まれなくなったため、平成15年11月20日をもって、事業を廃止した。

なお、同社は、いまだ解散決議をしておらず、解散の登記もしていない。また、同社は、平成14年1月1日から同年12月31日までの課税期間に係る消費税及び地方消費税の確定申告分（平成15年2月28日申告）40万円及び修正申告分（平成15年11月10日申告）170万円並びに平成15年1月分から同年6月分までの源泉所得税140万円（平成15年11月25日に納税の告知がされている。）を滞納している。

2　甲株式会社は、事業の廃止に伴い、所有していた財産を次のとおり処分し、現在残っている資産は、A銀行に対する普通預金8万円のみとなっている。また、甲株式会社の負債は、上記滞納国税のほかは、その代表者であるBに対する借入金300万円のみとなっている。

(1)　C町所在の山林

甲株式会社は、平成15年12月15日、建築資材の納入業者であるD株式会社に対し、同社から仕入れた建築資材の未払金102万円を弁済するため、代物弁済として、将来開発することを予定して取得していたC町所在の山林を譲渡し、同日D株式会社への所有権移転登記が行われた。

なお、当該山林の譲渡時における時価は、200万円であると認められ、D株式会社は、この山林の譲受けに関して登録免許税10万円と不動産取得税8万円を納付したほか、この山林についての平成16年分の固定資産税3万円を納付している。また、当該山林の譲渡当時、甲株式会社が国税を滞納していることやその代表者からの借入れを行っていたことについて、D株式会社が知っていたとは認められない。

(2)　E市所在の宅地

甲株式会社は、平成15年12月25日、F銀行からの借入金を返済するため、当該借入金を担保するための抵当権が設定されていたE市所在の宅地をG株式会社に3,200万円で売却し、その売却代金から当該借入金3,000万円を返済した上、その残額をもって甲株式会社の代表者Bからの借入金500万円の一部を返済した。

なお、当該宅地の売却時における時価は、3,800万円であると認められる。また、当該宅地の譲渡当時、甲株式会社が国税を滞納していることやその代表者からの借入れを行っていたことについて、G株式会社が知っていたとは認められない。

（注）各不動産の時価は、その後も変動していないものとする。

〔第二問〕 －40点－

次の設例において、差押えができる現金の範囲について、計算過程とその根拠を示して答えなさい。

〔設例〕

1　A株式会社及びB株式会社からの給料によって生計を営んでいる甲は、平成15年分の申告所得税1,300,000円を滞納している。

2　平成16年6月29日、甲がA株式会社及びB株式会社から支給を受ける6月分の給料について調査したところ、いずれの給料も6月20日に支払済みであり、それぞれの支給額等は以下のとおりであったことが判明した。

なお、甲がA株式会社及びB株式会社から支給を受ける7月分の給料の支払日はいずれも7月20日であり、それまで賞与が支給されることもない。

(1)　A株式会社

総支給額	523,000円
源泉徴収の方法によって給料から徴収された所得税	23,000円
特別徴収の方法によって給料から徴収された住民税	25,000円
給料から控除された社会保険料	62,000円

(2)　B株式会社

総支給額	177,000円
源泉徴収の方法によって給料から徴収された所得税	14,000円
給料から控除された社会保険料	23,000円

3　平成16年7月5日、徴収職員は、甲を立会人として甲の自宅を捜索し、A株式会社の6月分の給料袋に入っていた現金160,000円、B株式会社の6月分の給料袋に入っていた現金

	50,000円及びＡ株式会社の５月分の給料袋に入っていた現金10,000円を発見した。 4　甲から生計の状況について聴取したところ、甲は、自己の給料と月250,000円の給与収入を得ている長女乙の給与収入によって、妻丙及び長女乙との生計を営んでいるほか、他県の大学に通っている長男丁及び次男戊に月々それぞれ150,000円仕送りをしているとのことであった。なお、妻丙、長男丁及び次男戊は、全く収入を得ていないとのことであった。
第55回 （平成17年度）	**〔第一問〕**－40点－ 1　次の事柄について説明しなさい。 (1)　国税に一般的優先徴収権が承認されている理論的根拠及びその内容 (2)　国税に自力執行権が付与されている理論的根拠及び私債権との手続的相違点 2　次の設例において、当該災害地指定の地域内に居住する納税者のうち、既に納期限を経過した国税を滞納している納税者は、その滞納国税の納付について、所轄税務署長に対してどのような申請をすることができるか、その申請の要件及び効果について述べなさい。 〔設例〕 甲県の南西部一帯を中心として大規模な地震が発生した。そこで、国税当局は、国税通則法第11条に基づき、地域及び期日を指定して、国税に関する法律に基づく申告、申請、請求、届出その他書類の提出、納付又は徴収に関する期限を延長した。 **〔第二問〕**－60点－ 次の設例において、問いに答えなさい。 〔設例〕 1　Ａ税務署管轄地内のＢ市に本店が所在するＣ株式会社（以下、「Ｃ社」という。）は、平成17年８月１日現在において、下記(1)の国税を滞納している。 2　所轄Ａ税務署長は、下記(1)のア及びイの滞納国税を差押えに係る国税として、平成16年11月10日に、下記(2)の財産について差押えを執行した。 3　次に、Ａ税務署長は、下記(1)のウ及びエ並びにオの滞納国税を

参加差押えに係る国税として、平成17年5月25日に、下記(2)の財産について参加差押えを行った。

4　その後、平成17年8月1日にA税務署長は、C社振出しの手形（支払期日：平成17年7月31日）が不渡りとなった旨の情報を把握した。

5　そこで、A税務署の徴収職員は、C社の財産調査のため、平成17年8月1日に、C社の本店事務所内を捜索したところ、下記(3)の帳簿及び資料等を発見した。

なお、C社は任意整理の上、廃業する見込みである。

記

(1)　C社の滞納国税

ア　平成15年3月期法人税の確定申告分：700万円
（法定納期限：平成15年6月2日、確定申告書提出日：平成15年6月2日）

イ　平成16年3月期法人税の確定申告分：800万円
（法定納期限：平成16年5月31日、確定申告書提出日：平成16年5月31日）

ウ　平成16年1月～同年6月の間に支払った従業員給与及び役員報酬に係る源泉所得税1,200万円（源泉所得税の納期特例（所得税法216条）の適用有り。）
（法定納期限：平成16年7月12日、納税告知書を発した日：平成17年3月1日）

エ　平成15年3月期消費税の修正申告分：1,000万円
（法定納期限：平成15年6月2日、修正申告書提出日：平成17年3月31日）

オ　平成16年3月期消費税の修正申告分：900万円
（法定納期限：平成16年5月31日、修正申告書提出日：平成17年3月31日）

カ　平成16年7月～同年12月の間に支払った従業員給与及び役員報酬に係る源泉所得税1,300万円（源泉所得税の納期特例（所得税法216条）の適用有り。）
（法定納期限：平成17年1月11日、納税告知書の発付未了）

(2)　A税務署長の差押財産(平成16年11月10日執行)

・B市所在のD不動産（C社の本店事務所の土地建物）

ア　概算評価額：3,500万円
イ　権利関係
(ｱ) 甲根抵当権：平成16年10月５日設定、極度額2,000万円（差押え時の被担保債権額は1,600万円、以後変動なし）
(ｲ) 乙抵当権：平成16年12月１日設定、債権額1,000万円（設定時の被担保債権額は1,000万円、以後変動なし）

(3) 捜索により発見した帳簿及び資料等の内容
ア　売掛金台帳には、Ｃ社が、平成17年４月19日付で取引先であるＥ社から売掛金300万円を回収した旨の記載がある。なお、Ｅ社に対しては、売掛金の未回収残金はない。また、Ｈ社に対する売掛金の残高が600万円ある。
イ　現金出納帳には、平成17年４月19日付の現金入金300万円の記載及び平成17年４月20日付の300万円の出金の記載がある。なお、出金の備考欄には、Ｃ社の「代表者丙に前渡金として交付」との記載がある。この記載について丙に事情聴取したところ、滞納処分の執行を免れる目的で丙の個人名義定期預金とした旨の申述があった。
ウ　Ｆ銀行Ｇ支店において平成17年４月20日付で預け入れた、丙の個人名義による定期預金300万円の預金証書（満期日：平成17年７月20日）
エ　Ｃ社が取引先Ｈ社に対して有する売掛金600万円（支払期限：平成17年８月１日）について、Ｂ市長が、Ｃ社の滞納固定資産税100万円（法定納期限：平成17年５月２日）を徴収するために執行した平成17年８月１日付のＣ社あての差押調書謄本
オ　Ａ税務署管轄地外の遠隔地であるＪ市所在のＫ不動産（更地）の登記簿謄本
(ｱ) 概算評価額：3,000万円
(ｲ) 権利関係
①　譲渡担保を登記原因とする平成17年４月28日付所有権移転登記（権利者：Ｌ社）
②　登記簿謄本の乙区欄には、抵当権その他の担保権等の設定はない。

カ　Ｊ市所在のＫ不動産を譲渡の目的とする平成17年４月28日付譲渡契約書（譲渡人：Ｃ社、譲受人：Ｌ社）

	なお、Ｌ社の本社所在地は、Ｍ税務署管内である。 　キ　Ｃ社がＬ社から借り入れた5,000万円に係る平成17年４月28日付金銭消費貸借契約書 １　Ａ税務署長は、徴収方途として、まず、差し押さえているＤ不動産について公売することとしているが、Ｄ不動産の各権利者に対する当該換価代金の配当見込額及びその計算根拠を示しなさい。 ２　設例における事実関係の下で、Ｃ社の滞納国税の徴収のため、Ｄ不動産の公売の他にＡ税務署長が執り得る徴収方途として何があるか、その要件及び徴収手続について述べなさい。また、Ｄ不動産の公売を先行して行った場合において、その他の徴収方途の換価順序を定めた上で、各滞納国税に対する配当見込額をそれぞれ算定しなさい。 （注）１　配当見込額の計算においては、換価に伴う消費税等、滞納処分費、延滞税及び抵当権の遅延利息等は考慮しないものとする。 　　　２　各徴収方途による配当見込額の滞納国税への充当は、その法定納期限等の日の古い順に行うものとする。 　　　３　不動産に係る配当見込額の計算は、その概算評価額により換価したものとして行うものとする。
第56回 （平成18年度）	**〔第一問〕**－40点－ 　国税徴収の確保のために設けられている制度のうち次のものについて、簡潔に説明しなさい。 問１　徴収職員に与えられている財産調査のための権限 問２　通常の差押えの執行が可能となる「督促状を発した日から起算して10日を経過した日」（国税徴収法第47条第１項第１号）までに行うことができる特別な保全措置 **〔第二問〕**－60点－ 　次の設例において、問いに答えなさい。 〔設例〕 　所轄Ａ税務署長は、下記１の国税を滞納している滞納者甲において、平成18年７月22日（土）に相続の開始（民法第882条、第896条）があり、その相続人には事業承継をする意思がないため甲の事業を廃業するという情報を、平成18年７月25日（火）に入手した。 　現在までに所轄Ａ税務署長が執行している滞納処分は下記２のと

おりであり、財産調査により判明している甲のその他の所有財産は下記３のとおりである。また、甲の事業は任意整理により清算される見込みであり、甲の法定相続人は、その配偶者乙並びに子供である丙、丁及び戊の４名である。

なお、現時点では、相続財産の分割協議は成立していないが、相続人戊は相続放棄をしているほか、相続人はいずれも差押え可能な固有財産を有していない。

記

１　甲の滞納国税

(1) 平成16年分申告所得税（確定申告分）の本税：4,000万円
（法定納期限：平成17年３月15日（火）、確定申告書提出日：平成17年３月10日（木）

(2) 平成16年分消費税及び地方消費税（修正申告分）の本税:3,000万円
（法定納期限：平成17年３月31日（木）、修正申告書提出日：平成17年10月11日（火））

２　執行済みの滞納処分

(1) 平成18年７月21日（金）、営業車両用の駐車場に使用している土地の差押えを執行
ア　概算評価額： 5,000万円
イ　抵当権：設定登記日は平成14年２月14日（木）、権利者はＢ銀行（Ｃ支店）、債務者は甲、被担保 債権額は4,000万円（設定時の被担保債権額は8,000万円）

(2) 平成18年７月24日（月）、売掛金の差押えを執行
ア　債権額：500万円
イ　第三債務者：Ｄ株式会社
ウ　履行期限：平成18年８月31日（木）

３　甲の所有財産（滞納処分未執行）

(1) ハワイ島所在のリゾートマンション１室
ア　概算評価額：2,000万円
イ　担保権：設定なし

(2) 預金払戻請求権
ア　第三債務者：Ｂ銀行（Ｃ支店）
イ　債権額：400万円

(3) 預託会員制ゴルフ会員権

ア　第三債務者：Eゴルフクラブ 株式会社

イ　概算評価額：300万円（ゴルフ会員権取引市場相場）

ウ　預託保証金900万円の一括償還期限は、平成18年10月31日（火）である。

エ　甲の一般債権者Fを執行債権者（債権額：400万円）として、G執行裁判所が平成18年5月29日（月）付で仮差押えを執行している。

(4)　営業車両（トラック3台、バン2台）

ア　概算評価額：500万円（5台合計）

イ　甲は、H自動車販売株式会社から5台の営業車両を割賦販売により購入しており、登録名義はH自動車販売株式会社となっている。

(5)　事業所の土地・建物

ア　概算評価額：3,000万円

イ　抵当権：設定登記日は平成9年8月13日（水）、権利者はB銀行（C支店）、債務者は甲、被担保債権額は9,000万円（設定時の被担保債権額は1億5,000万円）

(6)　自宅の土地・建物

ア　概算評価額：2,500万円

イ　抵当権：設定登記日は平成16年11月5日（金）、権利者はB銀行（C支店）、債務者は甲、被担保債権額は1,300万円（設定時の被担保債権額は1,500万円）

ウ　所有権登記：贈与を登記原因とする平成16年3月17日（水）付の所有権移転登記により、己（丙の子、無職・学生）の名義となっている。また、甲と己間の贈与契約が有効に成立していることについて、両契約当事者から聴取・確認済みである。

問1　相続人乙ないし戊は、甲の滞納国税についてどのような義務又は責任を負うか述べなさい。

問2　所轄A税務署長が既に執行している滞納処分の効力は、甲の死亡によりどのようになるか述べなさい。

問3　上記3記載の財産に対して滞納処分を執行することができるか否か、理由を付して述べなさい。また、滞納処分の執行ができる場合には、その徴収可能見込額を算出しなさい。なお、延滞税等の附帯税は考慮しないものとします。

第57回 （平成19年度）	〔第一問〕－40点－ 問１　保健医療機関を経営する医師である滞納者の滞納国税を徴収するため、滞納者が社会保険診療報酬支払基金から将来支払を受けるべき診療報酬債権を差し押さえる場合の手続及びその効力並びにその差押え後に当該財産が滞納国税の法定納期限等後に契約により譲渡担保の目的となっていることが判明した場合の手続について説明しなさい。 問２　国税徴収法には本来の納税者から国税を徴収できない場合に、特定の者に特定の物を限度として第二次納税義務を負担させる制度を設けている。その第二次納税義務ごとに制度が設けられた趣旨及び内容について簡潔に説明しなさい。なお、徴収手続について述べる必要はない。 〔第二問〕－60点－ 次の設例に基づき、問１から３に答えなさい。なお、休日等を考慮する必要はない。 〔設例〕 １　甲株式会社は、平成17年６月３日、次の①及び②の国税の全額について一時に納付することが困難として、取締役乙が所有する土地・建物（概算評価額合計90,000,000円、Aを債権者とする抵当権50,000,000円（平成16年５月31日付設定登記）が設定されている。）を担保提供した上で分割して納付したいと申し出た。所轄税務署長は、所要の調査を行った上で、申出を相当と認め、同日、分割納付を許可するとともに抵当権を設定した。 ①　平成13年４月１日から平成14年３月31日までの課税期間に係る消費税及び地方消費税（更正決定分）の本税25,000,000円及び過少申告加算税2,500,000円（納期限：平成17年６月27日） ②　平成14年４月１日から平成15年３月31日までの課税期間に係る消費税及び地方消費税（更正決定分）の本税7,080,000円及び過少申告加算税708,000円（納期限：平成17年６月27日） ２　甲株式会社は、その後、次の国税について滞納を発生させた。 平成17年４月１日から平成18年３月31日までの課税期間に係る消費税及び地方消費税（確定申告分）の本税18,000,000円（確定申告書提出日：平成18年５月31日） ３　所轄税務署長は、１の土地・建物を滞納国税に充てるため公売

を実施し、平成19年6月6日に75,000,000円で売却決定するとともに、同月14日売却代金に付き配当を実施した。

なお、所轄税務署長は、丙市長から乙の滞納地方税11,029,000円（法定納期限等：平成16年4月30日）を徴収するため交付要求を受けている。

買受代金納付期日における債権額については、1①の国税が本税20,000,000円となった以外にはいずれの債権についても変動がなく、延滞税及び利息は考慮しない。

4　甲株式会社は、平成19年6月6日に銀行取引停止処分を受け事業を休止した。

5　徴収職員は、平成19年6月6日に財産調査を実施したが、次の財産を把握したものの、他にみるべき財産はなかった。

①　事務用机、椅子、キャビネット、パソコン等の事務用機器概算評価額500,000円

ただし、それらの動産には執行官が強制執行による差押えをした旨の表示がされていた。

②　売掛金　第三債務者B　金額3,500,000円

ただし、丁株式会社に対して売掛金全額を譲渡した旨の甲株式会社を通知人とする内容証明郵便が平成19年6月5日にBに到達していた。当該譲渡は担保目的であり、丁株式会社の甲株式会社に対する債権額は20,000,000円であることが判明した。

③　事務所の敷金　第三債務者C　金額3,000,000円

ただし、当該事務所の家賃合計5,000,000円が未払いとなっていた。

④　駐車場用地　概算評価額20,000,000円

ただし、当該財産の登記名義は平成18年12月5日付で甲株式会社から乙に売買を原因として移転されている。また、当該財産には、平成18年6月3日付で債務者を甲株式会社、債権者を戊、債権額を15,000,000円とする抵当権が設定されているところ、移転登記後に戊の申立てにより担保権実行のための競売が開始決定され、その後、丙市長が乙の滞納地方税を徴収するため差し押さえている。

問1　1に関して、所轄税務署長が行ったと考え得る措置及びその手続による効果を答えなさい。

問2　1の財産の売却代金の配当に関して、所轄税務署長への配当

	額及び滞納国税（本税及び加算税）ごとの充当額について計算過程を付して答えなさい。 問３　平成19年６月６日に把握した財産に対する徴収方途と徴収見込額について、その根拠を付して答えなさい。なお、その徴収手続について述べる必要はない。
第58回 （平成20年度）	〔第一問〕－40点－ 問１　法定納期限、納期限及び法定納期限等のそれぞれの意義を簡潔に説明しなさい。また、次の(1)及び(2)に示す租税の法定納期限、納期限及び法定納期限等を答えなさい。なお、休日等を考慮する必要はない。 (1) 内国法人Ａは、平成15年７月１日から平成16年６月30日までの事業年度の法人税について、平成17年８月５日、新たに納付することとなる法人税本税額を1,500万円とする修正申告書を提出した。所轄税務署長は、これに対し、平成17年８月30日、重加算税を決定して通知した。この修正申告に係る法人税本税及び重加算税。 ただし、法人税法第75条の２に基づく確定申告書の提出期限の延長の特例は受けていない。 (2) 相続人Ａは、相続税（相続の開始があったことを知った日：平成18年５月10日）の申告書を期限内に提出し、当該相続税本税について平成19年12月10日に完納した。この相続税申告に係る相続税延滞税。 問２　滞納処分の執行を免れる行為に対する罰則について簡潔に説明しなさい。 〔第二問〕－60点－ 次の設例に基づき、問１及び問２に答えなさい。なお、解答は答案用紙の指定欄に記載すること。 〔設　例〕 (1) 滞納者甲（画家）は、平成19年５月31日、新たに納付すべき税額を次のとおりとする修正申告書をＡ税務署長に提出した。 平成16年分申告所得税　本税　1,004,000円 平成17年分申告所得税　本税　1,203,000円 平成18年分申告所得税　本税　1,702,000円　合計　3,909,000円 (2) Ａ税務署長は、上記本税の全額が滞納となったため、平成19年６月25日に督促状を発送した。

滞納者甲の所有財産で、現在判明しているものは次のとおりである。

イ　自宅として使用している区分所有建物(評価額：5,000万円)

抵当権設定登記平成16年３月２日、被担保債権額 5,000万円、債権者Ｂ銀行

ロ　別荘として使用している土地及び建物(評価額：1,000万円)

抵当権設定登記平成19年６月29日、被担保債権額800万円、債権者Ｂ銀行

なお、抵当権は土地及び建物を共同担保として土地及び建物の双方に設定されている。

ハ　役員報酬平成19年１月から６月分(支給総額：4,839,000円)平成19年７月20日支給予定

６か月分を一括して支払うこととされており、次回支給予定日は平成20年１月20日である。

上記支給総額から控除する社会保険料等なし、源泉徴収する所得税額 386,340円、特別徴収する地方税額　231,000円

扶養控除対象配偶者あり、扶養親族２人、この他に生計を一にする親族はいない。

ただし、滞納者から国税徴収法第76条第５項に定める承諾は得ていない。

ニ　預金払戻請求権

普通預金 100万円(預金先：Ｂ銀行本店)

普通預金 60万円(預金先：Ｃ銀行本店)

ホ　家財道具(評価額：20万円)、位牌等が安置されている仏壇(評価額：100万円)、未公表の絵画１点(評価額：500万円)、画廊で展示している絵画３点(合計評価額：400万円)、画材(評価額：50万円)

ヘ　スイスフラン建預金(円貨評価額：300万円)

預金先の銀行の本店所在地及び支店所在地は、ともにスイス国内である。

(3) Ｄ市長は、平成19年６月29日、滞納者甲の地方税 200万円(法定納期限等：平成16年６月30日)を徴収するため上記(2)ロの別荘を差し押さえた。Ａ税務署長は平成19年７月２日にその事実を把握した。

問１　(2)に掲げた財産について、それぞれ差押えの可否を理由を付

	して答えなさい。なお、ハの役員報酬については、差押えが可能であれば、計算過程を付して差押可能金額も答えなさい。 また、差押可能財産が複数ある場合には、A税務署の徴収職員がその財産を差し押さえる場合の順序を理由を付して答えなさい。 問２　(3)の事実を把握したA税務署長は、いかなる措置をするべきか根拠を付して答えなさい。 **【参　考】** 国税徴収法施行令第34条 法第76条第１項第４号(給料等の差押禁止の基礎となる金額)に規定する政令で定める金額は、滞納者の給料、賃金、俸給、歳費、退職年金及びこれらの性質を有する給与に係る債権の支給の基礎となった期間１月ごとに10万円（滞納者と生計を一にする配偶者（婚姻の届出をしていないが、事実上婚姻関係と同様の事情にある者を含む。）その他の親族があるときは、これらの者の１人につき４万５千円を加算した金額）とする。
第59回 （平成21年度）	**〔第一問〕**－50点－ 問１　次の設例において、本件国税の徴収権の消滅時効が完成猶予する期間について、それぞれ理由を付して答えなさい。また、本件国税の徴収権が時効によって消滅する日はいつか、理由を付して答えなさい。なお、解答は答案用紙の指定欄に記載することとするが、必ずしもすべての欄を埋める必要はない。 〔設例〕 １　国税 平成15年分申告所得税（法定納期限：平成16年３月15日） ２　事実経過 平成16年８月24日　決定（翌日送達） 平成16年10月25日　督促（翌日送達） 平成17年３月９日　催告（翌日送達） 平成17年12月８日　納税の猶予の申請 平成17年12月19日　納税の猶予の許可 （猶予期間：平成17年12月８日～平成18年11月30日） 平成18年４月24日　納税の猶予の取消し

平成18年5月19日　取引先調査
平成18年6月27日　A市長が差し押さえている滞納者所有不動産について参加差押え
平成18年6月28日　A市長に参加差押書送達
平成18年6月29日　滞納者に参加差押通知書送達
平成19年3月19日　A市長の公売に係る換価代金の交付期日
平成21年5月18日　滞納処分の停止

問2　公売保証金に関する次の事項について説明しなさい。なお、解答は答案用紙の指定欄に記載すること。
(1) 提供させる趣旨
(2) 提供手続き
(3) 提供の効果
(4) 買受人が買い受け代金を納付期限までに納付しないために売却決定が取り消された場合の処理

〔第二問〕－50点－

次の設例において、以下の各問に答えなさい。なお、土日、祝日等は考慮する必要はない。また、解答は答案用紙の指定欄に記載すること。

〔設例〕

1　滞納者甲は、平成20年6月27日現在、次の国税を滞納していた。
平成19年分申告所得税予定納税1期分　500万円（納期限：平成19年7月31日）
平成19年分申告所得税予定納税2期分　500万円（納期限：平成19年11月30日）
平成19年分申告所得税確定分　1200万円（平成20年4月20日）

2　A税務署長は、平成20年6月27日、滞納者甲の滞納国税を徴収するため、甲が所有する土地を差し押さえるとともに、本件土地に根抵当権を設定していた根抵当権者P銀行及び抵当権を設定していた抵当権者Q銀行に差押えをした旨の通知をした（差押通知を受けた時点のP銀行の債権額2300万円）。

3　本件土地の権利関係は、次のとおりである。
(1) 平成18年9月26日　根抵当権設定登記（根抵当権者P銀行、債務者乙、極度額2000万円）

(2) 平成19年１月21日　売買を原因として乙から滞納者甲に対し所有権移転登記

(3) 平成19年４月15日　上記(1)の根抵当権の極度額を3000万円とする極度額増額の付記登記

(4) 平成19年９月20日　抵当権設定登記（抵当権者Ｑ銀行、債務者甲、被担保債権額1000万円）

4　Ｂ市長は、平成20年10月５日、滞納者甲の滞納地方税（滞納額：500万円、法定納期限等：平成18年３月31日）を徴収するため、本件土地に対して参加差押えをするとともに、本件土地に根抵当権を設定していた根抵当権者Ｐ銀行及び抵当権を設定していた抵当権者Ｑ銀行に参加差押えをした旨の通知をした（参加差押通知を受けた時点のＰ銀行の債権額2200万円）。

5　Ａ税務署長は、平成21年４月25日、本件土地について公売を実施し、買受人から換価代金3500万円を受領した。

なお、Ｐ銀行からは根抵当権に係る債権額が2400万円である旨の債権現在額申立書が、Ｑ銀行からは抵当権に係る債権額が800万円である旨の債権現在額申立書が、それぞれ提出されている。

6　Ａ税務署徴収職員は、本件土地の公売に係る配当だけでは、滞納国税に不足していたため、滞納者甲について財産調査を実施したところ、把握できた財産は次のとおりである。

滞納者甲の所有財産で、現在判明しているものは次のとおりである。

(1) 自宅マンション

概算評価額：2000万円

平成18年７月15日抵当権設定登記（抵当権者Ｒ銀行、債務者甲、被担保債権額 1800万円）

本件自宅マンションは、Ｃ損害保険会社を保険者とする火災保険に付されている。

(2) 貸付金債権

金額：300万円、第三債務者：Ｄ

本件貸付金を担保するため、Ｄ所有の不動産に抵当権が設定されている。

なお、Ｄは、滞納者甲が代表取締役を務めるＥ社に対して工事代金債権500万円を有している。

(3) 生命保険契約

保険契約者：甲、死亡保険金受取人：丙（甲の妻）、保険者：F生命保険会社、死亡保険金額：2000万円、解約返戻金相当額：120万円

(4) G信用金庫の会員持分50口（1口当たりの出資金額は1万円）

なお、信用金庫法第15条第1項は、「会員は、金庫の承諾を得て、会員又は会員たる資格を有する者にその持分を譲り渡すことができる。」旨規定しており、信用金庫の会員持分は、信用金庫の承諾がなければ譲渡することができないとされている。

(5) 機械

概算評価額：150万円

本件機械は、滞納者甲の取引先であるH社（滞納者甲の親族その他の特殊関係者ではない。）が占有しており、H社はその引き渡しを拒んでいる。

問1　本件土地の公売に伴う各債権者に対する換価代金の配当額を、計算過程とその根拠を示して答えなさい。なお、滞納国税及び滞納地方税について税額の変動はない。また、配当額の計算に当たっては、利息、遅延損害金、延滞税及び延滞金について一切考慮する必要はない。

問2　上記6に掲げた財産について、それぞれ差押えの可否について理由を付して答えなさい。また、差押えが可能である場合には、差押手続及び差押えに付随して行う手続きについて答えなさい。

第60回（平成22年度）

〔第一問〕 －50点－

問1　次の事項について簡潔に説明しなさい。なお、解答は答案用紙の指定欄に記載すること。

(1) 滞納者について破産手続開始の決定がされた場合の交付要求の手続

(2) 納税の猶予、換価の猶予及び滞納処分の停止と差押えとの関係

問2　次に掲げる株式の差押えの手続及び効力発生時期について述べなさい。なお、解答は答案用紙の指定欄に記載すること。

(1) 株券が発行されている株式会社の株式

(2) 株券を発行する旨の定款の定めがない株式会社の株式

イ　その権利の帰属が振替口座簿の記載又は記録により定まるもの（振替株式）

ロ　振替株式以外のもの

〔第二問〕－50点－

次の設例において、以下の各問に答えなさい。なお、土日、祝日等は考慮する必要はない。また、解答は答案用紙の指定欄に記載すること。

〔設例〕

1　滞納者である甲株式会社は、平成21年７月15日現在、平成19年４月１日から平成20年３月31日までの課税期間に係る消費税及び地方消費税の確定申告分800万円（法定納期限：平成20年５月31日、申告書提出日：平成20年８月13日）を滞納していた。

2　A税務署長は、平成21年７月15日、甲株式会社の滞納国税を徴収するため、甲株式会社が所有する建物を差し押さえた。

3　本件建物の権利関係は、次のとおりである。

(1)　平成20年８月２日　　不動産工事の先取特権保存登記（先取特権者B株式会社、債務者甲株式会社、工事費用予算額80万円）

(2)　平成20年10月29日　　代物弁済予約を登記原因とする所有権移転請求権仮登記（権利者C）

4　A税務署徴収職員が調査したところ、次の事項が判明した。

(1)　B株式会社を先取特権者とする不動産工事の先取特権は、B株式会社が甲株式会社に対して有する本件建物の工事代金債権80万円を担保するために登記されたものであった。

なお、B株式会社の工事により、本件建物の価値が100万円増加している。

(2)　Cを権利者とする代物弁済予約を登記原因とする所有権移転請求権仮登記は、Cが甲株式会社に対して有する貸付金債権 300万円を担保するために設定された担保のための仮登記（仮登記担保契約に関する法律第１条に規定する仮登記担保契約に基づく仮登記）であった。

なお、仮登記担保権の実行手続である仮登記担保契約に関する法律第２条第１項に規定する清算金の見積額の通知はされていない。

5　D株式会社は、平成21年７月25日、D株式会社が甲株式会社に対して有する貸付金債権500万円を担保するため、本件建物に抵当権設定登記を行った。

6　E市長は、平成21年8月6日、甲株式会社の滞納地方税 700万円(法定納期限等：平成20年4月30日)を徴収するため、本件建物についてA税務署長に対し参加差押えをした。

7　A税務署長は、平成21年10月5日、新たに滞納となった源泉所得税 200万円（納税告知書を発した日：平成21年7月27日、納期限：平成21年8月27日）を徴収するため、甲株式会社が所有する自動車を差し押さえるとともに、本件建物についてA税務署長に対し参加差押えをした。

8　A税務署長は、差押財産である本件建物及び本件自動車の滞納処分において、次の費用を支払っていた。

(1) 本件建物

鑑定評価手数料100万円、差押関係書類郵送料1万円

(2) 本件自動車

レッカー費用30万円

9　A税務署長は、平成21年12月3日、本件建物について、入札の方法により公売を実施した（見積価額1800万円、公売保証金200万円)。

問1　本件建物については、公売期日において次のとおり入札があった。A税務署長が売却決定までに行うべき処理について答えなさい。

X：入札価額2100万円

Y：入札価額2000万円

Z：入札価額1850万円

問2　本件建物の公売に関し、次に掲げるそれぞれの場合について答えなさい。

(1) Xに対し売却決定を行う前に、甲株式会社からA税務署長に対し公売公告の取消しを求める不服申立てがされた場合におけるA税務署長が行うべき処理及びXがとり得る対応

(2) Xが買受代金を納付した場合における各債権者に対する換価代金の配当額

(注)　計算過程をその根拠を示して答えること。なお、利息、遅延損害金、延滞税及び延滞金並びに各債権者の債権額の変動については一切考慮する必要はない。

第61回 (平成23年度)	〔第一問〕－50点－ 問１　次の事項について簡潔に説明しなさい。なお、解答は答案用紙の指定欄に記載すること。 (1) 滞納者以外の者の住居を捜索できる場合 (2) 銀行預金を差し押さえた場合の預金利息に対する差押えの効力 (3) 参加差押えをした場合において先行差押えの換価手続が進展しないときにとり得る措置 (4) 第二次納税義務者の財産についての換価制限 (5) 法人の分割に係る連帯納付の責任 問２　差押えを解除することができる場合について説明しなさい。なお、解答は答案用紙の指定欄に記載すること。 〔第二問〕－50点－ 次の設例において、以下の各問に答えなさい。なお、土日、祝日等は考慮する必要はない。また、解答は答案用紙の指定欄に記載すること。 〔設例〕 1　滞納者甲は、次の国税を滞納しているが、既に事業を廃止しており、所有財産はない。 平成20年分申告所得税確定申告分500万円（申告書提出日：平成21年３月15日） 平成21年分申告所得税確定申告分400万円（申告書提出日：平成22年６月27日） 2　Ａ税務署の徴収職員が、上記１の滞納国税を徴収するため滞納者甲の財産調査を行ったところ、滞納者甲は、平成22年５月25日、乙（Ｂ税務署管内に居住）からの借入金1500万円の担保として、所有する不動産（以下「本件不動産」という。）を乙に譲渡し、同日その旨の所有権移転登記を行っている事実が判明した。 3　本件不動産の権利関係は、次のとおりである。 (1) 平成22年７月30日　抵当権設定登記（抵当権者Ｐ銀行、債務者乙、被担保債権額800万円） (2) 平成22年12月９日　Ｂ税務署長差押え（滞納者：乙、滞納国税：平成21年分申告所得税更正分200万円、更正通知書を発した日：平成22年７月15日、納期限：平成22年８月15日）

(3) 平成23年３月19日　C市長参加差押え（滞納者：乙、滞納地方税300万円、法定納期限等：平成22年10月31日）

問１　A税務署長が本件不動産から滞納者甲の滞納国税を徴収できる場合の要件と徴収する場合の手続について答えなさい。

問２　A税務署長が本件不動産から滞納者甲の滞納国税を徴収できるとした場合において、本件不動産が公売により1600万円で売却されたときの各債権者に対する換価代金の配当額について、計算過程とその根拠示して答えなさい。

なお、滞納処分費、利息、遅延損害金、延滞税及び延滞金並びに各債権者の債権額の変動については一切考慮する必要はない。

第62回（平成24年度）

〔第一問〕－40点－

問１　次の事項について簡潔に説明しなさい。ただし、税務署長が行う処理について説明する必要はない。なお、解答は答案用紙の指定欄に記載すること。

(1) 差押換えの請求

(2) 交付要求の解除の請求

問２　災害を受けた納税者の納期限未到来の国税について、納税の猶予が認められる要件及び期間について説明しなさい。なお、解答は答案用紙の指定欄に記載すること。

〔第二問〕－60点－

次の設例において、滞納国税を徴収するため、国税徴収法上考えられる徴収方途について、その根拠を示して述べなさい。

〔設例〕

1　甲株式会社（運送業）は資本金1,000万円であり、その株式の所有割合は、代表者のAが50%、B（Aの妻）が30%、C（Aの弟）が20%となっている。

なお、甲株式会社は、平成22年４月１日から平成23年３月31日の事業年度に係る法人税2,200万円を滞納していた。

2　甲株式会社は、平成23年10月５日、株主総会において解散決議をし、清算人にAを選任の上、同月11日、その旨の登記を行った。

3　清算人であるAは、次のとおり、甲株式会社の清算手続を行った。

(1) 平成23年11月22日、所有不動産（譲渡時時価：1,800万

円）を、300万円の借入金債務を負っていた乙株式会社に対し譲渡し、債務清算後の400万円を受領した。

なお、乙株式会社は、D（Aの息子）が代表者を務め、Dを判定の基礎として同族会社に該当する法人である。また、本件不動産の所有権移転登記に係る登録免許税10万円は乙株式会社が納付している。

(2) 平成23年11月29日、X銀行に預けていた定期預金750万円を解約し、現金の払戻しを受けた。

(3) 平成23年12月2日、Bに対する貸付金債権170万円について、債権放棄をした。

(4) 平成23年12月13日、取引先である丙株式会社に対する売掛金債権900万円の支払として、現金を受領した。

(5) 平成24年1月10日、取引先である丁株式会社からの借入金債務700万円について、同社に対する売掛金債権500万円と相殺した上で、残金200万円を弁済した。

(6) 平成24年1月13日、Y銀行に対する借入金債務900万円を弁済した。

(7) 平成24年1月16日、所有していたトラック（帳簿価額：230万円、譲渡時時価80万円）を、運送業を開業したCに無償で譲渡した。

4　平成24年1月19日、清算人であるAは、不動産の譲渡代金、定期預金の解約金及び売掛金の受領金の合計2,050万円（400万円＋750万円＋900万円）から丁株式会社及びY銀行に対する借入金返済額の合計1,100万円（200万円＋900万円）を差し引いた残金950万円について、Aに500万円、Bに130万円、Cに120万円、E（Aの友人）に200万円を分配することとし、それぞれの預金口座に振り込んだ。

5　平成24年1月23日、甲株式会社は、清算結了の登記を行った。

6　P税務署長は、平成24年7月17日、甲株式会社に対し、清算中の課税期間に係る消費税400万円（法定納期限：平成24年1月18日）について更正処分を行い、同消費税は、滞納となった。

7　P税務署徴収職員が調査したところ、次の事実が判明した。

(1) 甲株式会社には滞納処分を執行できる財産はない。

(2) 乙株式会社に譲渡した不動産の現在の時価は1,500万円と

	なっている。 (3) 債務を返済した後の残金を振り込んだA、B、C及びEの預金口座は、現金が引き出され、既に解約されている。
第63回 (平成25年度)	**〔第一問〕** －50点－ 問１　次に掲げる差押えについて、それぞれ差押えができる要件を説明しなさい。なお、解答は答案用紙の指定欄に記載すること。 (1) 通常の差押え (2) 繰上保全差押え (3) 保全差押え (4) 繰上請求がされた国税による差押え (5) 繰上差押え (6) 担保提供された財産（金銭を除く）の差押え (7) 保証人の財産の差押え (8) 第二次納税義務者の財産の差押え (9) 譲渡担保財産の差押え 問２　国税徴収法に定められている滞納処分に関する不服申立ての期限の特例の趣旨及びその内容について説明しなさい。なお、解答は答案用紙の指定欄に記載すること。 **〔第二問〕** －50点－ 次の設例において、以下の各問に答えなさい。なお、解答は答案用紙の指定欄に記載すること。 〔設例〕 １　滞納者Ｙは不動産を譲渡したことによる平成23年分の申告所得税550万円を滞納している。なお、滞納者Ｙは、平成13年８月１日から甲株式会社に勤務しており、甲株式会社からの給料のほかに収入はない。 ２　平成25年７月19日、Ｘ税務署の徴収職員は、甲株式会社に臨場し、滞納者Ｙの給料の支給状況について調査したところ、滞納者Ｙは、同月末日を持って甲株式会社を退職し、同日、以下のとおり退職金 600万円が支払われる予定であることを確認した。

	① 総支給額…………………6,000,000円 ② 控除額合計…………………660,000円 （所得税 30,000円 住民税 60,000円 借入金返済 570,000円） ③ 差引手取額…………………5,340,000円（①－②） ※「借入金返済」とは、滞納者Ｙが社内の貸付制度を利用し、甲株式会社から借り入れていた金員の残額について、退職金から控除して返済するものである。 3 滞納者Ｙの家族及び生計の状況については、次のとおりである。 (1) 家族は、妻Ａ、長男Ｂ、次男Ｃ及び長女Ｄであり、滞納者Ｙは妻Ａ及び次男Ｃと同居している。 (2) 長男Ｂは、既に結婚して近所のアパートに住んでおり、自動車板金業の収入によって独立した生計を営んでいる。また、長女Ｄは、大学生で県外に下宿している。 (3) 滞納者Ｙは、自己の給料と次男Ｃの月 200,000円の給料収入で生計を営んでおり、妻Ａ及び長女Ｄは全く収入がない。 (4) 滞納者Ｙは、長女Ｄに対し毎月 100,000円の仕送りをしている。 問１ Ｘ税務署の徴収職員が、甲株式会社に対し滞納者Ｙの給料及び退職金の支給状況について調査することができる根拠について説明しなさい。 問２ 滞納者Ｙの甲株式会社から支給される退職金の差押えの手続及び効力の発生時期並びにＸ税務署長が差し押さえた退職金を取り立てた場合の効果について答えなさい。 問３ 滞納者Ｙの甲株式会社から支給される退職金について、Ｘ税務署長が差し押さえることができる金額を、計算過程とその根拠を示して答えなさい。
第64回 （平成26年度）	**〔第一問〕** －40点－ 問１ 次の事項について、簡潔に説明しなさい。なお、解答は答案用紙の指定欄に記載すること。 (1) 差押財産を換価した場合の担保権の消滅及び引受け (2) 国税徴収法に基づき税務署長が抵当権者に代位して行う抵

当権の実行

問２　滞納者甲（製造業）は、平成23年分申告所得税の確定（期限後）申告分1000万円（平成25年10月４日申告）を滞納していた。Ｘ税務署の徴収職員が、甲の自宅に臨場したところ、甲は、「法人で事業を行うため、乙株式会社を設立し、個人で所有していた機械や工場等の事業用資産の全てを乙株式会社に対し現物出資したため、納付することができない。」旨を申し立てた。徴収職員が調査したところ、甲は、現物出資をした財産の価額に相当する乙株式会社の株式を取得していた。

Ｘ税務署長が、甲の滞納国税を乙株式会社から徴収することができる要件及びその範囲について答えなさい（徴収手続については答える必要はない。）。

なお、土日、祝日等は考慮する必要はない。また、解答は答案用紙の指定欄に記載すること。

〔第二問〕　－60点－

次の設例において、以下の各問に答えなさい。なお、土日、祝日等は考慮する必要はない。また、解答は答案用紙の指定欄に記載すること。

〔設例〕

1　製造業を営む滞納者Ａは、平成24年分申告所得税の確定申告分2000万円（平成25年３月15日申告）を滞納していた。

2　Ｘ税務署の徴収職員は、平成26年２月10日、Ａの自宅兼事務所に臨場したが、Ａは仕事で外出していたため、自宅兼事務所にいたＡの妻Ｂを立会人として捜索を実施した。

3　捜索の途中、自宅兼事務所に次の者が訪れた。

(1)　顧問税理士Ｃ

(2)　Ａが提起した民事訴訟（取引先の契約不履行による損害賠償請求訴訟）の代理人弁護士Ｄ

(3)　Ａと同居している長男Ｅ

(4)　経理担当の従業員Ｆ

4　徴収職員は、捜索により次のものを発見した。

(1)　機械

・評価額：200万円

・本件機械は大型機械であるため、搬出は困難な状況にあった。

(2)　ＡがＧ株式会社に商品を販売した旨の契約書

・契約金額：300万円、弁済期日：平成26年３月31日
・G株式会社に対し既に商品を納品済であることを確認した。
(3) 金庫
・Bが、「金庫内にはAの売上金が保管されている。」旨を申し立てたため、Bに対し金庫を開けるように指示したが、Bは、「Aの了解なく開錠することはできない。」旨を申し立て、開錠を拒否した。

5　徴収職員は、上記機械及びG株式会社に対する商品販売代金債権を差し押さえた。

6　X税務署長は、平成26年２月18日、Aが工場として使用していた建物（評価額1500万円）を差し押させた。なお、本件建物の権利関係は次のとおりであった。
(1) 平成20年７月15日付根抵当権設定（根抵当権者：H銀行、債務者：A）
・極度額900万円、被担保債権額（差押通知書送達時）200万円
(2) 平成24年９月５日付抵当権設定（抵当権者：I銀行、債務者：A）
・被担保債権額300万円

7　徴収職員が、平成26年３月20日、G株式会社に対し差し押さえた商品販売代金債権の取立てについて連絡したところ、G株式会社から「取引先からの入金が遅れているため、平成26年４月30日を支払期日とする約束手形で支払いたい。」旨の申出があった。なお、約束手形による支払であったとしても、G株式会社の支払能力は問題ないと認められた。

8　平成26年６月16日、差し押さえていた本件建物が火事で焼失した。

9　本件建物は火災保険に付されていたため、J損害保険会社は、平成26年７月23日、X税務署長に対し保険金1200万円を支払った。

10　徴収職員は、H銀行の現在の被担保債権額が500万円であることを確認した。

問１　本件捜索に関し、次の事項について理由を付して答えなさい。
(1) 顧問税理士C、代理人弁護士D、同居している長男E、経理担当の従業員のFのうち、捜索のため支障がある場合に徴

	収職員が出入りを禁止することができる者 (2) Bが金庫の開錠を拒否した場合に徴収職員が取り得る措置 問２　本件機械の差押手続について説明しなさい。 問３　商品販売代金債権の第三債務者であるG株式会社からの申出に対し、徴収職員が取り得る措置について答えなさい。 問４　本件保険金に関し、次の事項について理由を付して答えなさい。 (1) X税務署長がJ損害保険会社から保険金の支払を受けることができる理由及び要件 (2) 支払われた保険金についての各債権者に対する配当額 (注)　計算過程とその根拠を示して答えること。なお、利息、遅延損害金及び延滞税については一切考慮する必要はなく、また、上記以外に各債権者の債権額の変動はない。
第65回 (平成27年度)	**〔第一問〕**　－40点－ **問１**　次の事項について、簡潔に説明しなさい。なお、解答は答案用紙の指定欄に記載すること。 ⑴　差し押さえられた動産、不動産及び自動車の滞納者（所有者）による使用又は収益 ⑵　差押財産を例外的な方法により売却できる場合 **問２**　次の設例において、X税務署長が滞納者Yの国税の全額を徴収するために差し押さえるべき財産とその理由を答えなさい。なお、延滞税、利息等の債権額の変動を考慮する必要はない。 また、解答は答案用紙の指定欄に記載すること。 〔設例〕 1　滞納者Yは、平成25年分の申告所得税（法定納期限等：平成26年３月17日）600万円を滞納している。 2　滞納者Yは、次に掲げる土地を所有している。 ⑴　A土地：評価額300万円 ⑵　B土地：評価額200万円 賃借権の登記：権利者　甲、平成23年５月９日登記 ⑶　C土地：評価額2,000万円 抵当権の登記：抵当権者　乙、被担保債権額1,600万円、平成24年９月３日登記 ⑷　D土地：評価額700万円

抵当権の登記：抵当権者　丙、被担保債権額900万円、
平成24年２月１日登記

3　上記２の土地以外に滞納者Ｙの申告所得税を徴収することができる財産はない。

4　上記２の土地の換価に要する期間、費用はいずれも同程度であり、差押えによる滞納者Ｙの生活の維持及び事業の継続への影響はない。

〔第二問〕　－60点－

問１　次の設例において、Ｘ税務署長がすることができる処分とその要件及び効果について、設例に即して答えなさい。なお、納税の猶予及び換価の猶予について解答する必要はない。また、解答は答案用紙に指定欄に記載すること。

〔設例〕

1　個人事業主のＡは、甲町１丁目２番地において、卸売業を営んでいた。

2　Ｘ税務署長は、滞納者Ａの平成25年分の申告所得税（卸売業から生じた所得に係るもの。法定納期限：平成26年３月17日）30万円を徴収するため、平成26年６月２日に滞納者Ａの敷金返還請求権15万円を差し押さえた。

3　滞納者Ａは平成26年９月１日に事業を廃止し、現在は、乙社の非常勤職員として勤務している。

⑴　滞納者Ａは配偶者と二人暮らしである。

⑵　配偶者は無職で収入はなく、滞納者Ａが乙社から支払を受けている給料（月８万円）で暮らしているものの、日々の生活を維持することも厳しい状況にある。

⑶　敷金返還請求権は、滞納者Ａの自宅アパートに係るものであり、賃貸借契約において、滞納者Ａが退去した後に返還することとされている。なお、現在のところ、滞納者Ａが転居する予定はない。

⑷　滞納者Ａの財産は、上記２の敷金及び上記⑵の給料のほかはないものとする。

問２　上記の問１の設例について、滞納者Ａは、事業の廃止ではなく、次のとおり事業を譲渡していた場合において、Ｘ税務署長が滞納者

	Aの平成25年分の申告所得税を長男Bから徴収するためにとり得る処分とその要件、また、滞納者A及び長男Bから徴収することができる金額とその理由を設例に即して答えなさい。なお、X税務署長は、上記の問1においてすることができる処分をこれまでのところしていないことを前提とし、延滞税の額を考慮する必要はない。 　また、解答は答案用紙の指定欄に記載すること。 〔事業の譲渡〕 1　滞納者Aは、平成26年9月1日に自己の営む卸売業を長男Bに譲渡した。 2　譲渡した事業に係る総資産額は700万円、総負債額は660万円であり、譲渡代金の40万円は、滞納者Aの長男Bに対する借入債務と相殺されている。なお、譲渡価額は適正なものと認められる。 　　資産：売掛金　80万円、建物C　600万円、自動車　20万円 　　負債：買掛金　40万円、借入金　620万円（建物Cに抵当権の設定。平成24年2月1日登記） 3　長男Bは、譲り受けた建物C及び自動車を用いて、甲町1丁目2番地において、卸売業を営んでいる。なお、売掛金は、買掛金や経費の支払に充てられている。 4　平成26年12月に譲り受けた建物Cが火災により焼失し、その建物Cに係る損害保険金600万円は、借入金の返済に充てられている。 　長男Bは、自己資金と新たな借入により、同所に建物Dを新築して卸売業を継続している。 　　建物D　所有者：長男B、評価額800万円 　　抵当権：平成27年2月2日登記、被担保債権額700万円
第66回 （平成28年度）	**〔第一問〕**－50点－ **問1** (1)　滞納者が職業又は事業（農業及び漁業を除く。）の用に供している財産について、（イ）絶対的に差押えが禁止される場合と（ロ）条件付きで差押えが禁止される場合を説明しなさい。 　また、（ハ）上記イとロの対象となる財産の範囲が異なる理由について、制度の趣旨に言及して説明しなさい。

(2)　徴収職員が差し押さえようとしている滞納者の機械について、その機械を滞納者から賃借して事業の用に供している第三者(滞納者の親族その他の特殊関係者ではない。)が、引き続き、その機械を賃借することができる場合を説明しなさい。

なお、税務署長の処分について説明する必要はない。

(注)　解答は、答案用紙の指定欄に記載すること。

問2　納税者が病気にかかり、納期限内に国税を納付できなかったことを前提として、(イ)納税の猶予と(ロ)納税者の申請による換価の猶予のそれぞれについて、その要件及び効果の異なる点を説明しなさい。

(注)　解答は、答案用紙の指定欄に記載すること。

〔第二問〕 －50点－

問1　甲は所得税 500万円(平成26年分の期限内申告)を滞納していたところ、平成28年7月1日に死亡した。

甲の遺産は、A株式(上場株式：評価額 800万円)のみである。

甲の相続人は、子である乙と丙の2名であり、相続について、乙は単純承認、丙は放棄をしている。

乙はB不動産(評価額 600万円)、丙はC不動産(評価額 1,000万円)を所有しており、他に固有の財産はない。

(1)　この場合に税務署長は、どの財産からどれだけの額を徴収すべきか、理由を付して答えなさい。

なお、延滞税の額を考慮する必要はない。

(2)　仮に、税務署長がB不動産を差し押さえた場合において、乙が税務署長に対して請求することができる手続を事例に即して説明しなさい。

問2　甲は所得税 500万円(平成26年分の期限内申告)を滞納していたところ、平成28年7月1日に死亡した。

甲の遺産は、D不動産（評価額 1,200万円）のみであり、抵当権X（債務者は甲、被担保債権額 400万円、平成25年10月1日設定）が設定されている。

甲の相続人は、乙のみであり、乙は相続について単純承認をしている。

乙は、E株式（上場株式：評価額 500万円）を所有しており、他に固有の財産はない。

この場合に税務署長は、どの財産からどれだけの額を徴収すべきか、理由を付して答えなさい。

なお、延滞税、被担保債権の利息等の額のほか、土日、休日等を考慮する必要はない。

問3　甲は所得税①（平成26年分の期限内申告）500万円を滞納していたところ、平成28年7月1日に死亡した。

甲の遺産は、F不動産（評価額 700万円）のみであり、抵当権Y（債務者は甲、被担保債権額 400万円、平成25年10月1日設定）が設定されているほか、平成27年12月1日に所得税①に係る差押えがされている。

甲の相続人は、乙のみであり、乙の相続について限定承認をしている。

乙は、所得税②（平成24年分の期限内申告）400万円を滞納しており、唯一の固有財産であるG不動産（評価額 200万円）について、平成26年9月1日に税務署長が差押えをしている。

この場合に税務署長は、所得税①及び②について、それぞれどの財産からどれだけの額を徴収することができるのか、理由を付して答えなさい。

なお、延滞税、被担保債権の利息等の額のほか、土日、休日等を考慮する必要はない。

第67回（平成29年度）

〔第一問〕－50点－

問1　納期限前に災害により被害を受けた納税者の申告所得税（確定申告分）について、納税の猶予が最長でどれだけの期間にわたり適用されるか説明しなさい。

（注）　解答は、答案用紙の指定欄に記載すること。

問２　Ａ株式会社は、平成27年3月決算（事業年度：平成26年４月１日から平成27年３月31日まで）に係る法人税の確定申告分（法定申告期限：平成27年５月31日）について脱税行為を行っていたため、平成28年２月１日に国税通則法に基づく強制調査を受け、さらに、税務調査により平成28年10月31日付で更正処分を受けている（同日の午前10時に更正通知書の送達、納期限：平成28年11月30日）。

Ｘ税務署長がＡ株式会社から上記更正処分に係る法人税を徴収するため、理論上、滞納処分による差押えをすることができることとなり得た時期（差押えの始期）を早い順に、それぞれの差押えの要件と、その日付が始期となる理由を付して、答案用紙の指定欄に記載しなさい。

なお、解答に当たり、土日、休日等を考慮する必要はない。

〔第二問〕　－50点－

次の設例について、以下の各問に答えなさい。

なお、解答に当たり、延滞税及び遅延損害金の額を考慮する必要はない。

また、解答は答案用紙の指定欄に記載すること。

〔設例〕

１　個人事業者であったＡは、申告所得税（平成27年確定分、法定納期限：平成28年３月15日）1,000万円を滞納している。

２　滞納者Ａは、所有する自家用車が故障したため、平成28年９月１日、Ｐ株式会社に修理を依頼した。

Ｐ株式会社が修理中の滞納者Ａの自動車をＸ税務署長が差し押さえ、その後、修理は完了したものの、滞納者Ａが修理代金（100万円）を支払わないため、Ｐ株式会社が引き続き自動車（評価額：800万円）を占有している。

３　滞納者Ａは、平成27年11月１日に、自身の事業用の財産を売却して得た資金をＱ株式会社に出資し、相当の対価として同社の株式100株を取得した。

Ｑ株式会社は、平成26年12月１日に滞納者Ａと長男Ｂが設立した会社であり、上記の増資（設立後、初めての増資）後の発行済株式総数500株のうち、滞納者Aが150株、長男Bが350株を有している。

X税務署長は、滞納者Aの有するQ株式会社の株式100株を差し押さえたものの、非上場株であって、市場性が乏しく、実際に平成28年10月と11月に実施した公売でも、入札はなかった。

なお、Q株式会社は、定款において株券を発行する旨の定めはなく、現在の総資産額は8,000万円、総負債額は6,500万円、資本金の額は1,200万円である。

4　滞納者Aは、R国に所在する土地（評価額：400万円）を別荘用地として購入している。

なお、R国との租税条約には、徴収の共助に関する規定が設けられている。

5　滞納者Aの財産は、上記2から4までに記載したもの以外はないものとする。

問1　X税務署長が設例の自動車を換価するに当たり、これを占有するための措置を答えなさい。

また、その自動車の換価により徴収することができる金額とその理由を設例に即して答えなさい。

問2　設例の自動車に関するものを除き、X税務署長が滞納者Aの国税を徴収するためにとり得る措置（詐害行為取消権の行使を除く。）とその要件を設例に即して答えなさい。

また、その措置により徴収することができる金額とその理由を設例に即して答えなさい。

第68回
（平成30年度）

〔第一問〕－50点－

問1　国税徴収法第98条第1項では、「税務署長は、近傍類似又は同種の財産の取引価格、公売財産から生ずべき収益、公売財産の原価その他の公売財産の価格形成上の事情を適切に勘案して、公売財産の見積価額を決定しなければならない。この場合において、税務署長は、差押財産を公売するための見積価額の決定であることを考慮しなければならない」と規定されている。

また、不動産を公売する場合は、公売の日から３日前の日までに見積価額を公告しなければならないとされている（国税徴収法第99条第１項第１号)。

(1) 「税務署長は、差押財産を公売するための見積価額の決定であることを考慮しなければならない」とされている趣旨（理由）を説明しなさい。

(2) 不動産の公売における見積価額とその公告について、これらが公売において果たす役割とその理由を説明しなさい。

問２　税務署長は、賃借権の目的となっている不動産を差し押さえた場合は、その賃借権を有する者に対して、その不動産を差し押さえた旨を通知しなければならないこととされている。その理由について、国税徴収法に定められた制度に言及しながら説明しなさい。

問３　次の設例において、国税徴収法の規定に基づき、Ａ税務署長が甲土地から滞納者Ｂの所得税を徴収することができる金額について、理由を付して説明しなさい。

なお、延滞税、利息等の額を考慮する必要はない。

〔設例〕

1　滞納者Ｂは、平成28年分の所得税600万円（期限内に申告）を滞納している。

2　滞納者Ｂは、唯一の財産である甲土地（評価額900万円）を平成30年２月１日に親族Ｃに贈与し、同日、所有権移転の登記がされた。

3　甲土地には抵当権が設定されており、上記２の贈与に当たり、被担保債権に係る債務は親族Ｃが引き受け、滞納者Ｂに代わって返済をすることにつき、抵当権者Ｄを含めた三者間で合意している。

抵当権の内容：被担保債権額400万円、平成29年６月１日登記

〔第二問〕　－50点－

次の設例を共通の前提として、下記の問１、問２のそれぞれの事実関係に基づき、各問に答えなさい。

なお、解答に当たり、延滞税、利息等の額及び土日、休日等を考慮する必要はない。

〔設例〕

1　卸売業を営む滞納者Ｅは、譲渡所得に係る所得税（平成29年分）180万円について換価の猶予を申請し、平成30年４月１日から９月30日まで、換価の猶予に基づき、毎月末30万円の分割納付をすることとなった。

2　Ｆ税務署長は、換価の猶予に係る所得税について、次の財産に抵当権の設定を受けている。

乙土地：所有者　Ｇ（滞納者Ｅの親族）

評価額　500万円

抵当権　第１順位　Ｈ銀行、被担保債権額300万円
　　　　　　　　　平成29年７月１日登記
　　　　第２順位　Ｆ税務署長、被担保債権額180万円
　　　　　　　　　平成30年４月１日登記

問１　換価の猶予を受けた後、滞納者Ｅは平成30年６月分まで順調に分割納付を行っていたものの、自身の趣味のために、バイク（評価額150万円）をローンで購入したほか、借金をして等身大のフィギア（評価額50万円）を購入したため、資金不足となり、平成30年７月分の分割納付金額30万円を納付できなかった。

この場合において、Ｆ税務署長が滞納者Ｅの所得税を徴収するためにとるべき措置、及びその措置により徴収することができる金額について、理由を付して答えなさい。

問２　換価の猶予を受けた後、滞納者Ｅは平成30年６月分まで順調に分割納付を行っていたものの、従来から継続して納品していた商品について、突如、取引先の都合により受注が減少し、平成30年７月分以降に調達することができると見込まれる納付資金は、毎月20万円が精一杯の状況となった。

	このような状況の下、滞納者Ｅは、平成30年７月分以降は、毎月末20万円を分割納付したいと考えている。 この場合において、Ｆ税務署長がとるべき措置について、理由を付して答えなさい。
第69回 （令和元年度）	**〔第一問〕** －40点－ 次の事項について、簡潔に説明しなさい。 １　交付要求と参加差押えの異同について (1) 要件の異同 (2) 手続の異同 (3) 効果の異同 ２　徴収職員における財産調査権限について **〔第二問〕** －60点－ 次の設例において、滞納国税を徴収するため、国税徴収法上考えられる徴収方途について、その根拠を示して説明しなさい。なお、土日、祝日等は考慮する必要はない。また、徴収手続について説明する必要はない。 〔設例〕 １　建設業を営む株式会社甲は、平成31年４月20日現在、次の国税を滞納していた。 (1) 平成29年９月期法人税の確定申告分：300万円 （法定納期限：平成29年11月30日、確定申告書提出日：平成29年11月30日） (2) 平成28年９月期消費税及び地方消費税の修正申告分：500万円 （法定納期限：平成28年11月30日、修正申告書提出日：平成30年11月30日） (3) 平成29年９月期消費税及び地方消費税の修正申告分：1,700万円 （法定納期限：平成29年11月30日、修正申告書提出日：平成30年11月30日） (4) 平成30年９月期消費税及び地方消費税の確定申告分：600万円 （法定納期限：平成30年11月30日、確定申告書提出日：平成30年11月30日） ２　Ｘ税務署の徴収職員は、滞納国税を徴収するため、株式会社甲の財産調査を実施したところ、次の事実が判明した。

(1) 株式会社甲の発行株式は、全部で100株であり、代表取締役であるAが60株、B（Aの長男）が30株、C（Aの弟が10株を保有している。

(2) 株式会社甲は、平成31年3月25日付で解散登記を行っており、清算人には、A及びCが就任している。

3 X税務署の徴収職員は、平成31年4月20日、清算人であるAと面接し、次の事実を把握した。

(1) 株式会社甲は、平成31年3月15日、株主総会を開催し、同日をもって解散することを決議し、清算人にA及びCを選任した上で、同月25日、その旨の登記を行った。

なお、Cは、清算人には就任したものの、財産の処分及び分配等には一切関与せず、Aに一任していた。

(2) 清算人であるAは、次のとおり、株式会社甲の清算手続を行っていた。

イ 平成31年3月30日、Z銀行に預けていた定期預金500万円を解約し、分配金として、400万円をAの預金口座へ、100万円をBの預金口座へ振り込んだ。

ロ 平成31年4月2日、建設機械3台（帳簿価額：1,000万円）を、200万円の借入金債務を負っていた株式会社乙に対して譲渡し、債務清算後の400万円を受領し、分配金として、A及びBの預金口座へそれぞれ200万円を振り込んだ。

なお、株式会社乙は、D（Aの妻）が代表者を務め、Dを判定の基礎として同族会社に該当する会社である。

ハ 平成31年4月6日、Cに対する貸付金債権100万円について、債権放棄をした。

ニ 平成31年4月13日、取引先である株式会社丙に対する売掛金債権300万円の支払として、現金を受領し、E（Aの長女）の預金口座へ振り込んだ。

なお、Eは、Aと同居しているものの、E自身で生計を維持していると認められた。

4 X税務署の徴収職員は、Aとの面接後、再度調査等を行ったところ、次の事実を把握した。

(1) 株式会社乙に譲渡した建設機械3台の譲渡時の時価は1,500万円であった。なお、株式会社乙は、建設機械3台の譲受けのために支払った費用等はなかった。

(2) 株式会社丁に対する未回収の売掛金400万円（平成31年２月分、履行期限：平成31年４月30日。なお、当該売掛金には、譲渡禁止特約は付されていない。）を把握した。

ただし、株式会社丁は、平成31年２月28日、株式会社戊から、「登記事項証明書」を添付した債権譲渡契約書を受け取っていた。主な登記事項証明書の内容は次のとおりであった。

（譲渡人）：株式会社甲、（譲受人）：株式会社戊
（登記原因日付）：平成30年10月25日、（登記原因）：譲渡担保
（債権の総額）：10,000,000円
（登記年月日時）：平成30年10月28日11時10分
（原債権者）：株式会社甲、（債務者）：株式会社丁
（契約年月日）：平成30年10月25日
（債権の発生年月日（始期））：平成30年11月１日
（債権の発生年月日（終期））：令和３年10月31日

（注）上記、債権譲渡契約及び債権譲渡登記は有効なものとする。

(3) 清算手続により振り込んだA、B及びEの預金口座は、既に解約済みであった。

(4) その他、株式会社甲が所有する財産はなかった。

第70回
（令和２年度）

〔第一問〕－50点－

問１　国税徴収法第104条第１項では、徴収職員は、見積価額以上の入札者等のうち最高の価額による入札者等を最高価申込者として定めなければならないと規定され、また、同法第104条の２第１項では、徴収職員は、入札の方法により不動産等の公売をした場合において、最高価申込者の入札価額（以下「最高入札価額」という。）に次ぐ高い価額（見積価額以上で、かつ、最高入札価額から公売保証金の額を控除した金額以上であるものに限る。）による入札者から次順位による買受けの申込みがあるときは、その者を次順位買受申込者として定めなければならないと規定されている。

(1) 不動産等の公売において、「最高入札価額に次ぐ高い価額に

よる入札者から次順位による買受けの申込みがあるときは、その者を次順位買受申込者として定めなければならない」とされている趣旨（理由）を説明しなさい。

(2) 不動産等の公売において、最高価申込者の場合と異なり、次順位買受申込者を本人の申込制としている理由を説明しなさい。

(3) 次順位買受申込者となる者の要件について説明するとともに、最高入札価額に次ぐ高い価額による入札者が２人以上で、その全ての者から買受けの申込みがあった場合の次順位買受申込者の定め方について説明しなさい。

問２ 次の事項について、簡潔に説明しなさい。ただし、税務署長が行う処理については説明する必要はない。

(1) 財産の差押換えの請求について

(2) 交付要求の解除の請求について

〔第二問〕 －50点－

次の設例を共通の前提として、以下の問１及び問２のそれぞれの事実関係に基づき、各問に答えなさい。なお、解答に当たり、延滞税、利息等の額及び土日、休日等を考慮する必要はない。また、令和元年分の申告所得税に関しては、期限の延長はされていないこととする。

〔設例〕

小売業を営む納税者Ａは、平成30年分の申告所得税の修正申告書（納税額150万円）を令和元年11月30日にＹ税務署長に提出したが、現在、Ａは当面必要な事業資金以外に50万円しかなく、残額については即時に納付することが困難な状況であった。

なお、Ａは、修正申告書を提出した時点において、上記修正申告分以外の国税の滞納はない。

また、Ａは、自宅兼事業所である不動産（評価額500万円）を所有している。

	問１　納税者Ａは、修正申告書を提出した日に納付可能額の50万円を納付したが、残額の納付については、事業の状況から毎月末20万円の分割納付を行いたいと考えている。 修正申告書の提出時において、Ａが行うことができる国税徴収法上の措置として考えられるものについて、その要件及び手続（Ａが提出すべき書類及び当該書類の記載内容）を簡潔に説明しなさい。 **問２**　納税者Ａは、令和元年12月１日から令和２年４月30日まで、国税徴収法上の措置に基づき、毎月末20万円の分割納付をすることとなった。Ａは、令和２年２月分までは順調に分割納付を行っていたものの、令和２年３月５日、突如、取引先Ｂが倒産したため、取引先Ｂに対する売掛金の回収ができなくなった。 Ａは、令和元年分の申告所得税の確定申告書（納税額30万円）を令和２年３月13日に提出したが、上記売掛金の回収不能により即時の納付が困難であり、納税額全額について、確定申告書の提出と一緒に換価の猶予を申請した（申請書の記載に不備はなく、添付書類の不足もない。）。 Ａは、令和２年３月以降の納付資金は、毎月末10万円が精一杯の状況であるところ、まずは、平成30年分の申告所得税（修正分）の残額を分割納付し、その後、令和元年分の申告所得税（確定分）について、引き続き、分割納付したいと考えている。 この場合において、Ｙ税務署長がとるべき措置について、理由を付して答えなさい。 なお、令和２年分の予定納税については、考慮する必要ない。
第71回 （令和３年度）	**〔第一問〕**－50点－ **問１**　国税徴収法第79条は、差押えを解除しなければならない場合及び差押えを解除することができる場合の要件を定めたものである。そのうち、「差押えを解除することができる場合」について説明しなさい。 **問２**　公売における売却決定について、次の(1)及び(2)の問に答えなさい。

(1) 国税徴収法第113条第１項は、不動産、船舶、航空機、自動車、建設機械、小型船舶、債権又は電話加入権以外の無体財産権等（以下「不動産等」という。）の最高価申込者に対する売却決定手続を定めたものである。

不動産等のうち、次の財産の公売における売却決定の日が、公売をする日と異なる日とされている理由について簡単に説明しなさい。

イ　自動車

ロ　不動産

(2) 換価した財産に係る売却決定が取り消される場合について説明しなさい。

〔第二問〕－50点－

次の設例において、以下の問１及び問２に答えなさい。なお、土日、祝日等については考慮しない。

〔設例〕

1　滞納会社甲は、次の国税について換価の猶予を申請し、令和２年３月１日から令和３年２月28日まで、換価の猶予に基づき、毎月末20万円の分割納付をすることとなった。

なお、滞納会社甲は、換価の猶予の申請に当たって、滞納会社甲の代表者Aが所有する乙土地について、担保提供を行い、抵当権の設定を受けた。

・対象国税：令和元年12月期消費税の確定申告分　500万円
（法定納期限：令和２年２月29日・期限内申告）

2　滞納会社甲は、換価の猶予が許可された後、令和２年10月末まで毎月20万円の納付を行っていたが、その後、取引先の倒産等の影響から売上が減少したため、令和２年11月以降の納付はできなかった。

3　X税務署の徴収職員Yは、令和３年１月20日、滞納会社甲の事務所へ臨場したところ、代表者Aから、令和２年12月末をもって事業を廃業しており、残りの滞納分の納付はできない旨の申出を受けた。

4　徴収職員Yは、直ちに換価の猶予を取り消した上で財産調査を行ったが、滞納処分の執行が可能な財産は発見できなかった。

そのため、乙土地の処分を進めるため、その権利関係を調査したところ、次のとおりであった。

① 平成30年10月31日 抵当権設定登記（抵当権者：B銀行、債務者：甲、被担保債権額：500万円）

② 平成31年３月20日 抵当権設定仮登記（抵当権者：C、債務者：A、被担保債権額：200万円）

③ 令和２年３月１日 抵当権設定登記（抵当権者：財務省（X税務署長）、債務者：甲、被担保債権額：500万円）

④ 令和２年11月30日 D年金事務所長差押え（滞納者：A、滞納保険料：100万円、法定納期限等：令和元年５月31日）

⑤ 令和３年１月15日 E市長参加差押え（滞納者：A、滞納地方税：500万円、法定納期限等：平成30年９月30日）

⑥ 令和３年１月25日 X税務署長担保物処分のための参加差押え（滞納者：甲、滞納国税：340万円、法定納期限等：令和２年２月29日）

5 X税務署長は、換価執行決定の効力が適法に生じたことから、乙土地の公売を行った。その結果、買受人から1,160万円を受領した。

この公売に際して、X税務署長は、乙土地の評価に係る鑑定料30万円を支払っている。また、D年金事務所長は、差押えを行った直後に、乙土地の評価を鑑定士に依頼し、それに係る鑑定料30万円を支払っていた。

なお、B銀行からは、抵当権に係る債権額が400万円である旨の債権現在額申立書が提出されているが、Cからの書類等の提出はない。

問１

(1) 国税徴収法第89条の２の規定は、参加差押えをした税務署長による換価執行を定めたものである。参加差押えをした税務署長による換価執行を定めた趣旨（理由）を説明しなさい。

(2) 参加差押えをした税務署長による換価執行制度において、その換価執行決定の効力を生じさせるための手続、関係者への通知及び換価に必要となる書類の引渡しに関する手続について、次のイ～ハの権利者ごとに、この設例に沿った上で、根拠（理由）を付して説明しなさい。なお、実施する手続がない場合には、その旨を答えなさい。

イ　X税務署長

ロ　D年金事務所長

ハ　E市長

問２　乙土地の公売に伴う各債権者に対する換価代金の配当額を、計算過程とその根拠を示して答えなさい。なお、滞納国税、滞納地方税及び滞納保険料は、差押え又は参加差押え時点と変動はない。

第72回（令和４年度）

〔第一問〕　－50点－

問１　国税滞納処分の差押えの一般的な要件の一つとして、国税徴収法第47条第１項第１号は、「督促状を発した日から起算して10日を経過した日までに完納しないとき。」と規定しているが、例外的に、督促を要しない国税の差押えを行うことができる場合がある。

督促を要しない国税（担保の処分、譲渡担保権者の物的納税責任の追及及び国税に関する法律の規定により一定の事実が生じた場合に直ちに徴収するものとされている国税を除く。）の差押えを行うことができる場合について、簡潔に説明しなさい。

問２　納税の緩和制度の一つである滞納処分の停止について、その要件及び効果を説明しなさい。

〔第二問〕　－50点－

次の**問１**～**問３**において、甲税務署長が、現時点（令和４年８月時点）で、滞納者（Ａ社、Ｅ社及び居住者Ｉ）の滞納国税を徴収するため、国税徴収法上の第二次納税義務による徴収方途及び徴収できる範囲について、その根拠を示して説明しなさい。なお、甲税務署長が行う手続については、解答する必要はない。

問１

１　Ａ社は、平成29年６月１日に設立された税理士法人である。

2　A社の社員は、設立時からの社員であるB及び令和３年４月１日に入社したCの２名である。なお、設立時からの社員であったDは、令和３年10月31日付で退社(登記済)している。
3　現在、A社は、活動を停止しており事業再開の目途は立っておらず、滞納処分の執行が可能な財産は有していない。
4　A社は、令和元年５月期消費税及び地方消費税の確定申告分1,000,000円を滞納している。

問２

1　E社は、資本金1,000,000円の株式会社であり、その株式の保有割合は、代表者F及び役員Gがそれぞれ50％ずつとなっている（F及びG以外に役員等はいない。）。
2　E社は、令和２年３月期法人税の確定申告分3,000,000円を滞納している。
3　E社は、令和４年３月31日、株主総会において解散を決議し、清算人にFを選任した(登記済)。
4　清算人であるFは、その選任時におけるE社の残余財産について、その選任後に、次のとおり清算手続（分配）を行った。
　(1) 現金2,000,000円をF名義預金口座に振り込んだ。
　(2) 定期預金3,000,000円を解約し、G名義預金口座に振り込んだ。
　(3) H（Fの友人）に対する貸付金債権1,000,000円について、債権放棄した。
5　現在、E社は、滞納処分の執行が可能な財産を有していない。

問３

1　居住者Iは、自身が経営するJ株式会社(資本金1,000,000円。居住者Iが全額出資。)の借入金の物上保証人として、自らが所有していた不動産を担保として提供していたところ、J株式会社が当該借入金について返済不能となった。そのため、居住者Iは、令和２年３月31日、当該担保不動産を20,000,000円（時価相当額）で売却し、売却代金全額をJ株式会社の借入債務の返済に充てた。その結果、居住者Iは、J株式会社に対して、同額の求償債権を取得した。

	2　居住者Ｉは、上記不動産の売却を行った令和２年分に係る所得税15,000,000円について滞納した。 3　居住者Ｉは、Ｊ株式会社の経営が悪化したため、事業再生士の指導・支援の下で、取引金融機関から金融支援(債権放棄)を受けるに当たり、令和３年10月31日、Ｊ株式会社に対する求償債権を放棄した。 　なお、居住者Ｉが求償債権を放棄した時点での、当該求償債権の評価額は10,000,000円であった。 4　Ｊ株式会社は、上記企業再生の手続後においては、業績が回復している。 5　現在、居住者Ｉは、滞納処分の執行が可能な財産を有していない。
第73回 (令和５年度)	**〔第一問〕**－65点－ **問１**　次の(1)～(3)について、簡潔に説明しなさい。 (1) 共同的な事業者の第二次納税義務の要件及び責任の限度 (2) 国税に関する法律に基づく処分に対する不服申立てと国税の徴収との関係（ただし、国税不服審判所長及び行政不服審査法第11条第２項に規定される審理員の権限に属する事項については説明する必要はない。） (3) 国税通則法第46条の納税の猶予を税務署長等が取り消すことができる場合及びその手続 **問２**　国税徴収法においては、滞納処分に関する不服申立て等の期限の特例に関する規定が設けられているが、その特例の内容について説明するとともに、その特例が設けられている趣旨（理由）について、滞納処分の違法性の承継に触れつつ説明しなさい。 **問３**　次の〔設例〕において、①～③の事由が、国税の徴収権の消滅時効にどのように影響を及ぼすか（具体的日付を用いて説明する必要はない。）を述べた上で、消滅時効の完成により、甲の滞納国税について徴収権を行使することができなくなる日を答えなさい。なお、附帯税について考慮する必要はない。

〔設例〕

滞納者甲は、令和５年３月10日、令和４年分の申告所得税の確定申告を行い、納付すべき税額（300万円）が確定したが、法定納期限である令和５年３月15日までに納付しなかった。（なお、他に滞納となっている国税はない。）

① そのため、甲の滞納国税の納税地を所轄する乙税務署長は、同年４月26日、甲の令和４年分申告所得税に係る督促状を発送し、督促状は同月28日に甲に送達された。

② 督促状の送付を受けた甲は、同年５月15日に乙税務署を訪れ、令和４年分申告所得税を一時に納付することが困難であるとして、同国税につき国税徴収法151条の２の規定による換価の猶予の申請を行った。

乙税務署長は、甲の申請を許可することとし、同月22日、甲の令和４年分申告所得税全額について、猶予期間を同月15日から同年10月31日までとし、各月末日に50万円ずつ分割して納付することを内容とする換価の猶予許可通知書を発送し、同通知書は同月24日に甲に送達された。

③ 同年６月28日、甲の財産について強制執行が開始されたことから、同年７月５日、乙税務署長は、甲の滞納国税について丙地方裁判所に交付要求を行うこととし、同日、丙地方裁判所宛に交付要求書を発送するとともに、甲宛に交付要求通知書を発送した。

交付要求書は同月６日に丙地方裁判所に送達されたものの、同月10日、甲宛の交付要求通知書が郵便局から返戻されたため、同月12日、乙税務署徴収職員は甲の自宅に赴き、甲に交付要求通知書を交付した。

同年８月31日、乙税務署長は、上記の交付要求に基づく配当として金銭100万円の交付を受け、同日、甲の滞納国税に充当したが、甲からは、その後も残額の200万円が納付されることはなく換価の猶予期間を経過した。

〔第二問〕 －35点－

次の〔設例〕において、以下の問１及び問２に答えなさい。

〔設例〕

1 印刷工場を経営する滞納会社甲社は、令和４年１月１日から令和４年12月31日までの期間を事業年度（消費税及び地方消費税の課税期間）とする消費税及び地方消費税確定分200万円（法定納期限等：令和５年２月28日）を滞納している。

2　令和５年６月１日、甲社は、その代表者の知人である乙との間で、乙から事業資金として500万円を借り入れるに当たり、甲社が所有する印刷用の機械設備（評価額500万円）を担保の目的で乙に譲渡する旨の契約を締結し、同月５日、動産譲渡登記を経由した。

3　令和５年９月４日、X税務署長は、甲社の滞納国税200万円を徴収するため、譲渡担保権者である乙に対して国税徴収法第24条第２項に基づく告知を行うとともに、乙の納税地を管轄するY税務署長及び甲社に対し、その旨を通知した。

4　上記３の告知を受けた乙は、上記２の貸付金について、甲社からの返済が滞っていたことから、令和５年９月７日、甲社に対して譲渡担保権を実行する旨の通知を行い、返済されていない貸付金額450万円と機械設備の時価500万円との差額50万円を現金で甲社に交付するとともに、その機械設備を乙の事務所に持ち帰った。

これにより、乙は譲渡担保財産である機械設備の所有権を確定的に取得するとともに、甲社と乙との間に債権債務関係はなくなった。

5　乙は、令和４年分の消費税及び地方消費税400万円（法定納期限等：令和５年３月31日）を滞納していた。

6　令和５年９月11日、Y税務署徴収職員は、乙の財産調査のために乙の事務所を訪れたところ、上記４の事実を把握したため、乙が取得した機械設備を差し押さえた。

7　令和５年９月18日、X税務署長は、甲社の滞納国税を徴収するため、Y税務署長が差し押さえた機械設備につき参加差押えをした。

8　令和５年９月20日、Z県税事務所長は、乙の滞納地方税200万円（法定納期限等：令和４年８月31日）を徴収するため、Y税務署長が差し押さえた機械設備につき参加差押えをした。

9　甲社及び乙は、他に差し押さえるべき財産を有していない。

問１　国税徴収法第24条に基づく譲渡担保権者の物的納税責任を追及するための一般的な要件を述べた上で、X税務署長が行った参加差押えの有効性について、理由を付して答えなさい。

	問２　機械設備が滞納処分により換価された場合に、Ｘ税務署長、Ｙ税務署長及びＺ県税事務所長が、それぞれ受けることができる配当金額について、理由を付して答えなさい。なお、換価代金は500万円とし、滞納処分費、附帯税及び遅延利息等について考慮する必要はない。

(MEMO)

参考　慣用語の知識

法律用語については、「慣用語」という特別な意味をもって用いられる言葉がある。条文の意味を正確に理解するためには、こうした「慣用語」について十分な知識を持っていることが要求される。

1.「みなす」

「みなす」⇨本来性質の異なる２つの事物を法律関係のもとでは同一視することをいう。なお、反証は認められない。

> 徴収職員が金銭を差し押さえたときは、その限度において、滞納者から差押に係る国税を徴収したものと**みなす**。（法56③）

2.「以上」「以下」「超」「未満」

「以上」「以下」⇨基準点となる数量等を含む。

「超」「未満」　⇨基準点となる数量等を含まない。

3.「以前」「以後」「前」「後」

「以前」「以後」⇨基準となる時点を含む。

「前」「後」　　⇨基準となる時点を含まない。

4.「又は」「若しくは」

「又は」　　⇨大きい選択的接続に用いる。

「若しくは」⇨小さい選択的接続に用いる。

> ～成年に達した者２人以上**又は**地方公共団体の職員**若しくは**警察官を立ち会わせなければならない。（法144）
>
> ⇨｛成年に達した者２人以上／地方公共団体の職員｝のいずれか

５．「及び」「並びに」

「及び」　⇨小さい併合的接続に用いる。

「並びに」⇨大きい併合的接続に用いる。

> 国税及び地方税等並びに私債権につき、～（法26二）
> ⇨｛国税と地方税等／私　　債　　権｝の両方

６．「その他」「その他の」

「Ａその他のＢ」　⇨Ａは、Ｂの例示の１つであり、ＡはＢに含まれている。

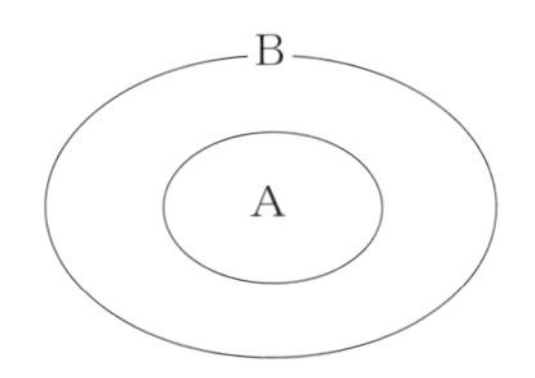

「Ａその他Ｂ」⇨Ａは、Ｂに含まれておらず、ＡとＢは並列状態にある。

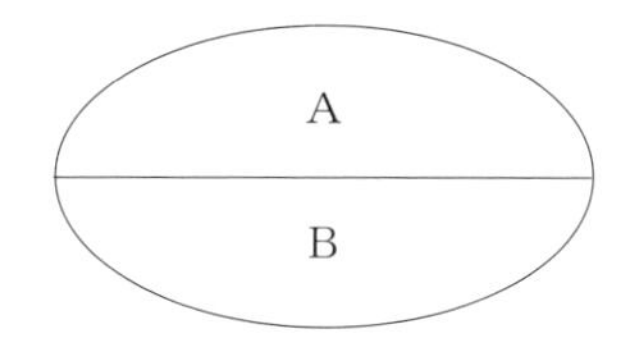

７．「場合」「とき」「時」

「場合」⇒前提条件を示す。前提条件が２つある場合には、大きい前提条件を示す。

「とき」⇒「場合」と同時に用いて、「場合」が大きい前提条件を示すのに対し、「とき」は小さい前提条件を示す。

「時」　⇒時間的な表現である。

> 納税者の財産につき国税の滞納処分による差押をした**場合において**、他の国税又は地方税の交付要求があった**ときは**、～（法12①）
> ⇒　納税者の財産について国税の滞納処分による差押をしたという大きい前提条件を満たした上で、他の国税又は地方税の交付要求があったという小さい前提条件を満たしたならば適用がある。

参考：慣用語の知識

8．「者」「物」「もの」

「者」　⇒人格を持つ自然人（個人）及び法人を示す。

「物」　⇒人格者以外の有体物を示す。

「もの」⇒ ①「者」「物」にあたらない抽象的なものを示す。
　　　　　②「で」の前にある言葉を受ける代名詞を示す。

> 法人でない財団又は社団で代表者又は管理人の定めのある**もの**～
> ⇒　この場合の「もの」は、「法人でない財団又は社団」と読み替えることができる。

(MEMO)

税理士受験シリーズ

2025年度版　46　国税徴収法　理論マスター

（平成12年度版　2000年１月25日　初版　第１刷発行）

2024年８月23日　初　版　第１刷発行

編著者　ＴＡＣ株式会社（税理士講座）
発行者　多田敏男
発行所　ＴＡＣ株式会社　出版事業部（ＴＡＣ出版）
〒101-8383
東京都千代田区神田三崎町3-2-18
電話03(5276)9492(営業)
FAX 03(5276)9674
https://shuppan.tac-school.co.jp
印刷　株式会社ワコー
製本　株式会社常川製本

ISBN 978-4-300-11346-2
N.D.C. 336

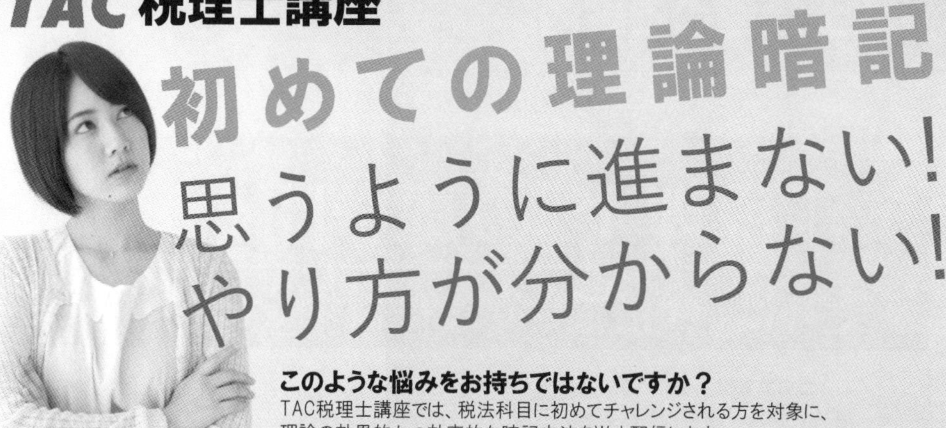

このような悩みをお持ちではないですか？

TAC税理士講座では、税法科目に初めてチャレンジされる方を対象に、
理論の効果的かつ効率的な暗記方法をWeb配信します。
理論暗記が本格的にスタートする前に、理論暗記のコツをしっかりつかみましょう！

初学者のための 税法理論暗記Webセミナー

無料配信

配信期間：2024年9月30日（月）～2025年7月31日（木）

TAC税理士講座
相続税法講師　田辺　佑輔

試験に合格した人の中で、苦労せず理論を暗記できた人はいません。一人一人が努力や工夫をして、本試験に臨んでいます。
当セミナーでは、これから理論暗記を始める方に向けて、少しでも効率よく理論暗記ができるよう、暗記の「コツ」をお伝えします！

◆セミナー内容

1. 理論暗記の重要性
2. 理論暗記の時間を確保する方法
3. 暗記の実践
4. 答案の書き方および暗記後の反復学習について

◆準備するもの

・理論マスター
（または現在暗記に使用している理論教材）

◆視聴方法

◆「TAC動画チャンネル」でご視聴いただけます。

◆基礎マスター＋上級コース・年内完結＋上級コース・ベーシックコース・速修コースの税法科目受講生は、「TAC WEB SCHOOL」でもご視聴いただけます。

TAC税理士　動画　検索

https://www.tac-school.co.jp/kouza_zeiri/tacchannel.html

"入学前サポート"を活用しよう!

無料セミナー&個別受講相談

無料セミナーでは、税理士の魅力、試験制度、科目選択の方法や合格のポイントをお伝えしていきます。セミナー終了後は、個別受講相談でみなさんの疑問や不安を解消します。

https://www.tac-school.co.jp/kouza_zeiri/zeiri_gd_gd.htm

無料Webセミナー

TAC動画チャンネルでは、校舎で開催しているセミナーのほか、Web限定のセミナーも多数配信しています。受講前にご活用ください。

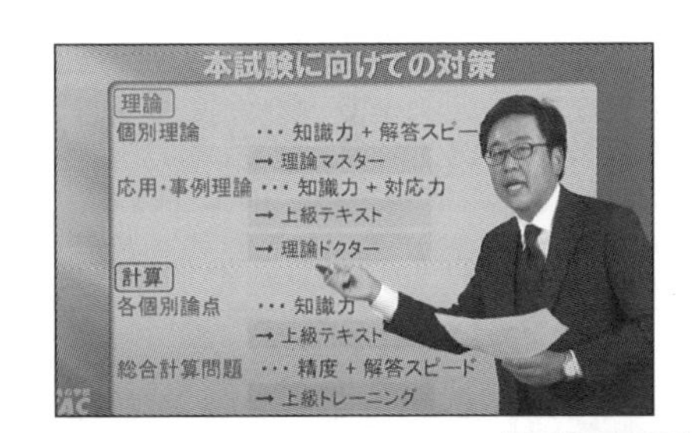

TAC 税理士 動画 検索

https://www.tac-school.co.jp/kouza_zeiri/tacchannel.html

体験入学

教室講座開講日(初回講義)は、お申込み前でも無料で講義を体験できます。講師の熱意や校舎の雰囲気を是非体感してください。

TAC 税理士 体験 

https://www.tac-school.co.jp/kouza_zeiri/zeiri_gd_taiken.html

税理士11科目Web体験

「税理士11科目Web体験」では、TAC税理士講座で開講する各科目・コースの初回講義をWeb視聴いただけるサービスです。講義の分かりやすさを確認いただき、学習のイメージを膨らませてください。

TAC 税理士 

https://www.tac-school.co.jp/kouza_zeiri/taiken_form.html

チャレンジコース

受験経験者・独学生待望のコース!

4月上旬開講!

開講科目	簿記・財表・法人 所得・相続・消費

基礎知識の底上げ  **徹底した本試験対策**

チャレンジ講義 + チャレンジ演習 + 直前対策講座 + 全国公開模試

受験経験者・独学生向けカリキュラムが一つのコースに!

※チャレンジコースには直前対策講座(全国公開模試含む)が含まれています。

直前対策講座

5月上旬開講!

本試験突破の最終仕上げ!

学習メディア	教室講座・ビデオブース講座 Web通信講座・DVD通信講座・資料通信講座

＼ 全11科目対応 ／

開講科目	簿記 ・財表 ・法人 ・所得 ・相続 ・消費 酒税 ・固定 ・事業 ・住民 ・国徴

直前期に必要な対策が
すべて揃っています!

- 徹底分析!「試験委員対策」
- 即時対応!「税制改正」
- 毎年的中!「予想答練」

※直前対策講座には全国公開模試が含まれています。

チャレンジコース・直前対策講座ともに詳しくは2月下旬発刊予定の
「チャレンジコース・直前対策講座パンフレット」をご覧ください。

全国公開模試

6月中旬実施!

全11科目実施

TACの模試はここがスゴイ!

1 信頼の母集団

2023年の受験者数は、会場受験・自宅受験合わせて10,316名!この大きな母集団を分母とした正確な成績(順位)を把握できます。

※11科目延べ人数

2 本試験を擬似体験

全国の会場で緊迫した雰囲気の中「真の実力」が発揮できるかチャレンジ!

3 個人成績表

現時点での全国順位を確認するとともに「講評」等を通じて本試験までの学習の方向性が定まります。

4 充実のアフターフォロー

解説Web講義を無料配信。また、質問電話による疑問点の解消も可能です。

※TACの受講生はカリキュラム内に全国公開模試の受験料が含まれています(一部期別申込を除く)。

直前オプション講座

6月中旬〜
8月上旬実施!

最後まで油断しない!
ここからのプラス5点!

【重要理論確認ゼミ】
〜理論問題の解答作成力UP!〜

【ファイナルチェック】
〜確実な5点UPを目指す!〜

【最終アシストゼミ】
〜本試験直前の総仕上げ!〜

全国公開模試および直前オプション講座の詳細は4月中旬発刊予定の
「全国公開模試パンフレット」「直前オプション講座パンフレット」をご覧ください。

TAC出版 書籍のご案内

TAC出版では、資格の学校TAC各講座の定評ある執筆陣による資格試験の参考書をはじめ、資格取得者の開業法や仕事術、実務書、ビジネス書、一般書などを発行しています！

TAC出版の書籍

＊一部書籍は、早稲田経営出版のブランドにて刊行しております。

資格・検定試験の受験対策書籍

- 日商簿記検定
- 建設業経理士
- 全経簿記上級
- 税　理　士
- 公認会計士
- 社会保険労務士
- 中小企業診断士
- 証券アナリスト
- ファイナンシャルプランナー(FP)
- 証券外務員
- 貸金業務取扱主任者
- 不動産鑑定士
- 宅地建物取引士
- 賃貸不動産経営管理士
- マンション管理士
- 管理業務主任者
- 司法書士
- 行政書士
- 司法試験
- 弁理士
- 公務員試験(大卒程度・高卒者)
- 情報処理試験
- 介護福祉士
- ケアマネジャー
- 電験三種　ほか

実務書・ビジネス書

- 会計実務、税法、税務、経理
- 総務、労務、人事
- ビジネススキル、マナー、就職、自己啓発
- 資格取得者の開業法、仕事術、営業術

一般書・エンタメ書

- ファッション
- エッセイ、レシピ
- スポーツ
- 旅行ガイド（おとな旅プレミアム/旅コン）

(2024年2月現在)

書籍のご購入は

1 全国の書店、大学生協、ネット書店で

2 TAC各校の書籍コーナーで

資格の学校TACの校舎は全国に展開!
校舎のご確認はホームページにて

資格の学校TAC ホームページ
https://www.tac-school.co.jp

3 TAC出版書籍販売サイトで

CYBER BOOK STORE TAC出版書籍販売サイト

24時間ご注文受付中

TAC 出版 で 検索

https://bookstore.tac-school.co.jp/

新刊情報をいち早くチェック!

たっぷり読める立ち読み機能

学習お役立ちの特設ページも充実!

TAC出版書籍販売サイト「サイバーブックストア」では、TAC出版および早稲田経営出版から刊行されている、すべての最新書籍をお取り扱いしています。
また、会員登録(無料)をしていただくことで、会員様限定キャンペーンのほか、送料無料サービス、メールマガジン配信サービス、マイページのご利用など、うれしい特典がたくさん受けられます。

サイバーブックストア会員は、特典がいっぱい!(一部抜粋)

通常、1万円(税込)未満のご注文につきましては、送料・手数料として500円(全国一律・税込)頂戴しておりますが、1冊から無料となります。

専用の「マイページ」は、「購入履歴・配送状況の確認」のほか、「ほしいものリスト」や「マイフォルダ」など、便利な機能が満載です。

メールマガジンでは、キャンペーンやおすすめ書籍、新刊情報のほか、「電子ブック版TACNEWS(ダイジェスト版)」をお届けします。

書籍の発売を、販売開始当日にメールにてお知らせします。これなら買い忘れの心配もありません。

書籍の正誤に関するご確認とお問合せについて

書籍の記載内容に誤りではないかと思われる箇所がございましたら、以下の手順にてご確認とお問合せをしてくださいますよう、お願い申し上げます。
なお、正誤のお問合せ以外の**書籍内容に関する解説および受験指導などは、一切行っておりません。**
そのようなお問合せにつきましては、お答えいたしかねますので、あらかじめご了承ください。

1 「Cyber Book Store」にて正誤表を確認する

TAC出版書籍販売サイト「Cyber Book Store」の
トップページ内「正誤表」コーナーにて、正誤表をご確認ください。

CYBER BOOK STORE TAC出版書籍販売サイト

URL:https://bookstore.tac-school.co.jp/

2 1の正誤表がない、あるいは正誤表に該当箇所の記載がない ⇒ 下記①、②のどちらかの方法で文書にて問合せをする

★ご注意ください★

お電話でのお問合せは、お受けいたしません。
①、②のどちらの方法でも、お問合せの際には、「お名前」とともに、
「対象の書籍名(○級・第○回対策も含む)およびその版数(第○版・○○年度版など)」
「お問合せ該当箇所の頁数と行数」
「誤りと思われる記載」
「正しいとお考えになる記載とその根拠」
を明記してください。
なお、回答までに1週間前後を要する場合もございます。あらかじめご了承ください。

① ウェブページ「Cyber Book Store」内の「お問合せフォーム」より問合せをする

【お問合せフォームアドレス】

https://bookstore.tac-school.co.jp/inquiry/

② メールにより問合せをする

【メール宛先　TAC出版】

syuppan-h@tac-school.co.jp

※土日祝日はお問合せ対応をおこなっておりません。
※正誤のお問合せ対応は、該当書籍の改訂版刊行月末日までといたします。

乱丁・落丁による交換は、該当書籍の改訂版刊行月末日までといたします。なお、書籍の在庫状況等により、お受けできない場合もございます。
また、各種本試験の実施の延期、中止を理由とした本書の返品はお受けいたしません。返金もいたしかねますので、あらかじめご了承くださいますようお願い申し上げます。

TACにおける個人情報の取り扱いについて
■お預かりした個人情報は、TAC(株)で管理させていただき、お問合せへの対応、当社の記録保管にのみ利用いたします。お客様の同意なしに業務委託先以外の第三者に開示、提供することはございません(法令等により開示を求められた場合を除く)。その他、個人情報保護管理者、お預かりした個人情報の開示等及びTAC(株)への個人情報の提供の任意性については、当社ホームページ(https://www.tac-school.co.jp)をご覧いただくか、個人情報に関するお問い合わせ窓口(E-mail:privacy@tac-school.co.jp)までお問合せください。

(2022年7月現在)